W9-BMV-803

Nivel 4

*Carlos Rodríguez-Castillo*

Editor in Chief — *Grisel Lozano-Garcini*

Author — *Carlos Rodríguez-Castillo*

Consultant — *Brian Merrill*

Cultural Researcher — *Linda Peterson*

Art Direction & Production — *Queta Fernández*

Illustrations & Cover — *Agustín R. Fernández*

Photo Credits — *Agustín Fernández: Pages 2, 5 (top & right) 9, 21, 81, 107, 118, 119, 174, 175, 178, 179; Courtesy of the Museum of Contemporary Arts, Caracas Venezuela, Photographer Morella Muñoz-Tebar: Pages 4, 5 (left) & 17 (Center & bottom); © Chris R. Sharp 1994: Page 11 (top); © Barry W. Baber 1994: page 11 (bottom); © Craig Duncan: Pages 24 & 29 (bottom); © John Curtis: Pages 25 & 29 (top); © Donne Bryant Stock Photo: Pages 42, 47, 65, 70, 106 & 128; Digital Stock Corporation: Pages 43 (top), 48, 49 & 92; © James D. Nations: Page 46; Ivan Cañas: Pages IV, 17 (top), 60, 61; © Virginia Ferrero: Pages 64, 84 & 85 (top); © Carlos Golding: pages 129, 150, 151 & 168*



3 4 5 6 7 SP 04 03 02 01



**Printed in Spain**
**ISBN: 1-56340-350-1**

# Contenido

# UNIDAD PRELIMINAR

## LOS TRES AMIGOS

Aereopuerto Internacional de Miami

1

Unidad preliminar

# Unidad *preliminar*

Hola. Me llamo Alex. Yo soy un niño afroamericano. Tengo 11 años. Soy alto, delgado y muy guapo. Tengo los ojos oscuros. Mi comida favorita es carne con papas. Nací en Nueva York pero vivo en Miami con mis padres.

¿Qué tal? Me llamo Briana. Soy una niña. Tengo el pelo largo y castaño oscuro. Tengo los ojos castaños. Tengo 10 años. Mis padres y yo somos de Miami. Me gusta mucho la escuela—soy muy inteligente.

¿Cómo estás? Me llamo Kevin. Soy un muchacho de 11 años y soy rubio y guapo. No soy alto, soy bajito. Me gustan los deportes como el fútbol y el béisbol. Soy de Los Ángeles. El año pasado, mi familia se mudó a Miami.

Los tres somos amigos. Siempre jugamos juntos, almorzamos juntos, estudiamos juntos, y ahora vamos a viajar juntos. ¡Tenemos unos planes increíbles! Los tíos de Briana van de negocios a Sudamérica y nosotros, los tres amigos, los vamos a acompañar. Queremos hacer algo diferente. Ven con nosotros a descubrir tierras exóticas. ¡Vamos a practicar el español y a divertirnos mucho!

LOS TRES AMIGOS HABLAN DE SU VIAJE A SUDAMÉRICA:

# UNIDAD UNO 1

## UNA VISITA A VENEZUELA

Caracas es la capital. Tiene muchos edificios modernos.

Los niños se visten con ropa típica venezolana.

También admiran las selvas y los ríos.

Alex, Kevin y Briana visitan la casa donde vivió Simón Bolívar.

En Venezuela los niños visitan un desierto con camellos y todo.

lección *uno*

## LLEGANDO A VENEZUELA

Los tres amigos, Alex, Briana y Kevin, están en un avión en ruta al primer país de su viaje a Sudamérica. El avión llega a Venezuela a las diez. Todos están felices y con ganas de llegar.

Los tres amigos y sus tíos bajan del avión en el Aeropuerto Internacional Simón Bolívar. Por fin están en Caracas, Venezuela.

lección **dos**

## Conocemos Venezuela

Mar Caribe
Isla Margarita
Coro
Lago Maracaibo
Caracas
Andes
Pico Bolívar
Salto Ángel
*Selva amazónica*

Venezuela es un país en el norte de Sudamérica. La capital es Caracas. Tiene una población de 20 millones de habitantes.

Venezuela es un gran país. Tiene el mar Caribe y las montañas de los Andes en el norte, un desierto pequeño cerca de la ciudad de Coro, los llanos, y la selva del Amazonas. La montaña más grande se llama el pico Bolívar y tiene nieve en la cumbre durante todo el año. Además, Venezuela tiene el salto más alto del mundo, el salto Ángel.

Venezuela es un país muy rico. Produce mucho petróleo en el área del lago de Maracaibo, un lago muy grande cerca de la frontera con Colombia.

Venezuela fue descubierta en el año 1498 por Cristóbal Colón. Cuando Colón vio las casas construidas sobre el lago Maracaibo, dijo, "Este lugar parece una pequeña Venecia. Voy a llamarlo *Venezuela*".

Simón Bolívar es un héroe de Venezuela. Él luchó por la independencia de este país. Por eso, los venezolanos lo llaman "El Libertador".

La comida típica de Venezuela es el arroz con frijoles negros (caraotas), la carne mechada y las arepas, un pan de maíz. En las Navidades, los venezolanos comen "hallacas". La hallaca es un tamal con carne de res, puerco, pollo y otras cosas ricas. Son muy sabrosas.

Venezuela es un país muy interesante. ¡Van a aprender y a divertirse mucho!

lección **tres**

¿QUÉ VAMOS A HACER?

Los tres amigos, Kevin, Alex y Briana, están muy felices en Caracas. Hay muchas cosas que ver y muchos lugares para visitar. Los amigos están hablando con un muchacho en el parque. El muchacho, Juan, les está diciendo cuáles son las mejores partes de Caracas y de Venezuela.

—Caracas es una ciudad muy grande. Mucha gente vive en apartamentos. También hay muchas tiendas, parques, museos, cines y restaurantes.

En el centro de la ciudad está la Plaza Bolívar y el Museo Bolívar, la casa donde nació Simón Bolívar. Simón Bolívar fue un hombre muy importante para Venezuela, y también para Colombia y Ecuador.

El Museo de Arte Colonial está en el centro, también. En frente de la estación de tren, o el metro, se encuentra el Palacio Nacional, donde trabaja el presidente de Venezuela.

Montaña en el sur de Venezuela

Caracas tiene un metro, o subterráneo, fantástico. Del centro de la ciudad, se puede ir al este en el metro y bajarse en La Sabana Grande para comprar en las tiendas, o seguir en el metro hasta el zoológico. Estoy seguro que les va a gustar el parque. También se puede subir El Ávila en el teleférico. El Ávila es una montaña muy alta y bonita. Se ve toda la ciudad por un lado y el mar por el otro lado. ¡Espero que no tengan miedo!

Pero lo mejor de Venezuela está fuera de la capital. Para ver el salto más alto del mundo, tienen que ir al salto Ángel. Está en la selva amazónica. ¡Qué aventura!

Desierto de Coro

Si tienen calor, pueden ir al pico Bolívar. Allí hay nieve todo el año y hace mucho frío. El pico Bolívar es la montaña más alta del país y está cerca de la ciudad de Mérida. Tienen que subir al pico en teleférico. ¿Les gusta el frío? La temperatura baja a cero grados Centígrados.

Si tienen frío, pueden visitar el desierto en Coro. Allí hace mucho calor y hay camellos para montar. ¡La temperatura pasa de los cuarenta grados Centígrados!

Venezuela tiene muchas playas muy bonitas y miles de islas. La isla más grande se llama Margarita. En Margarita, los hoteles son altos y hay muchas diversiones. Para llegar a la isla, tienen que ir en avión o ferry.

El Salto Ángel

Yo quiero mucho a mi país. Espero que a ustedes les guste también. El país tiene playas, desiertos, nieve, selvas, lagos, ríos, islas y grandes ciudades. En mi país no falta nada. ¡Descúbranlo!

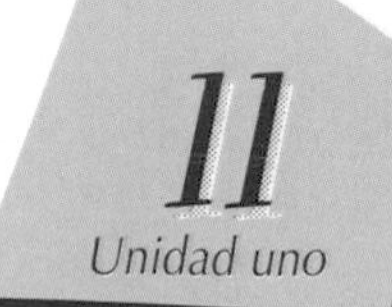

lección **cuatro**

¡QUÉ AVENTURA!

Los tres amigos pidieron permiso a los tíos y ellos dijeron que sí. Al día siguiente todos se fueron a Canaima.

El río es ancho...
El río es profundo...
El río es largo...
¿Cuándo vamos a llegar al salto Ángel?
Más rápido. Los tíos van muy lentos en su canoa.
¡No! Los vamos a perder.
¡Qué divertido! A mí me gusta viajar en canoa. ¡Qué buen navegante soy!
Oigan. Aquí no se oye nada. Sólo los monos y los pájaros. Yo tengo miedo.
No te preocupes. ¿Qué puede pasar?
tui tui tui tui tui
oo oo oo oo oo chi chi

# lección cuatro

El tío agarró a los tres aventureros y los puso en la canoa roja.

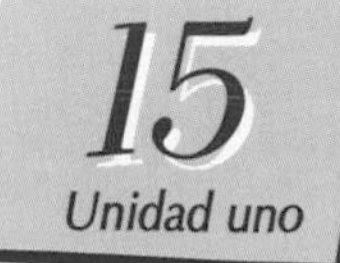

lección **cinco**

HABLAMOS DE VENEZUELA

Kevin: ¿Cómo está el agua?
Briana: Está rica. ¿Quieres nadar?
Kevin: Sí. A mí me gusta el mar.
Briana: A mí también.
Alex: Kevin, Briana — ¡El último en el agua es un coco!

*¿En qué parte de Venezuela están los tres amigos?*

Alex: ¡Qué frío! Estoy congelado.
Kevin: Me dijiste que te gustaba el frío.
Alex: A mí me gusta el frío, pero no tengo guantes y este abrigo no es bueno.
Briana: Guantes, un buen abrigo. ¿Qué más te falta?
Alex: ¡Sólo me falta bajar de la montaña en seguida!

*¿En qué parte de Venezuela están los tres amigos?*

Kevin: ¡Ay, qué calor! ¡Seguro que hay 45 grados!
Alex: 45 grados. ¡Qué frío!
Briana: No, chico. Estamos en Venezuela. Son 45 grados Centígrados.
Alex: Es verdad. Miren los camellos. Vamos a montar.
Briana: Yo les tengo miedo a los camellos.
Kevin: ¿Por qué? Éstos son muy simpáticos.
Briana: Está bien. Pero si me caigo...
Alex: Te llenas de arena, ¿y qué?

*¿En qué parte de Venezuela están los tres amigos?*

Briana: No toques nada. Todo está muy viejo.
Guía: Aquí nació el gran libertador de Venezuela, Simón Bolívar.
Alex: ¿Cuándo nació?
Guía: Nació en el año 1783. Fue un buen líder de la Gran Colombia.
Alex: ¡Fue un líder increíble!
Kevin: ¿Qué es la Gran Colombia?
Guía: La Gran Colombia era lo que hoy día es Colombia, Panamá, Ecuador y Venezuela. Escuchen bien. Ahora vamos por el comedor. Simón Bolívar a veces era mal muchacho porque no comía sus vegetales...

*¿Dónde están ahora los tres amigos?*

# lección seis

APRENDEMOS ALGO NUEVO

Adjetivos abreviados

Las palabras bueno, malo y grande pueden estar delante o detrás

*de una persona:*

un  bueno     un buen 

*de un lugar:*

un  bueno     un buen

*o de una cosa:*

un  bueno     un buen 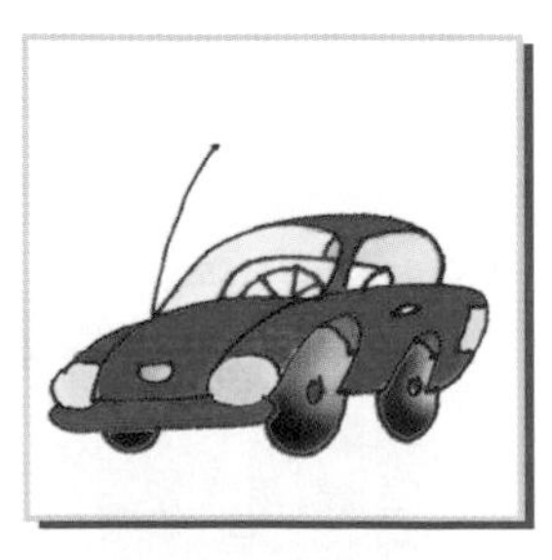

Como ves, cuando estos adjetivos están delante de un sustantivo, cambian:

| | | | |
|---|---|---|---|
| bueno → buen | | malo → mal | |
| | grande → gran | | |

Kevin es un niño bueno.

buen ~~o~~

Es un buen niño.

El tiempo está malo.

mal ~~o~~

Hace mal tiempo.

Caracas es una ciudad grande.

gran ~~de~~

Caracas es una gran ciudad.

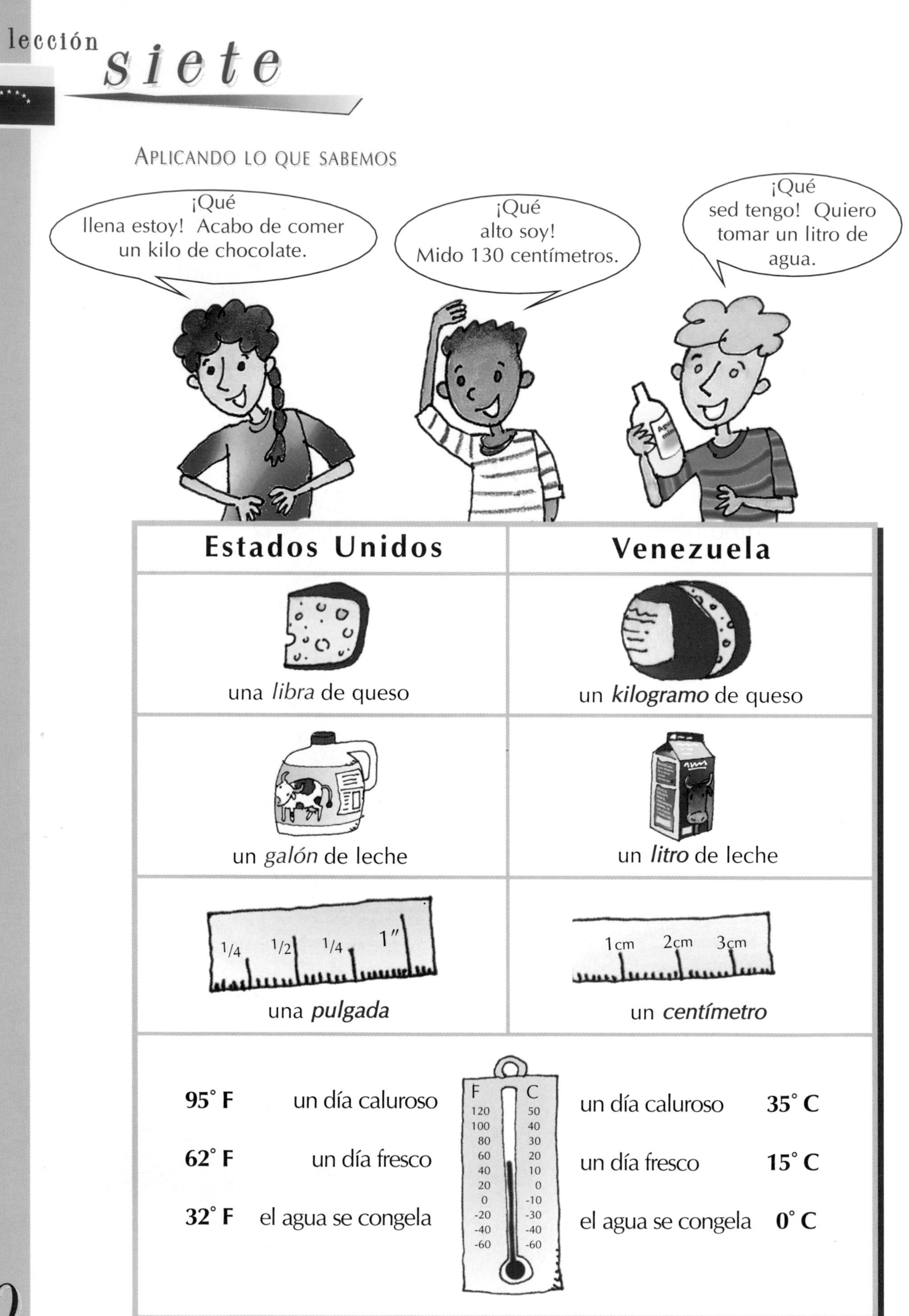
lección siete
Aplicando lo que sabemos
¡Qué llena estoy! Acabo de comer un kilo de chocolate.
¡Qué alto soy! Mido 130 centímetros.
¡Qué sed tengo! Quiero tomar un litro de agua.
Estados Unidos
Venezuela
una *libra* de queso
un *kilogramo* de queso
un *galón* de leche
un *litro* de leche
1/4 1/2 1/4 1″
una *pulgada*
1cm 2cm 3cm
un *centímetro*
95° F un día caluroso
62° F un día fresco
32° F el agua se congela
F C
120 50
100 40
80 30
60 20
40 10
20 0
0 -10
-20 -30
-40 -40
-60 -60
un día caluroso 35° C
un día fresco 15° C
el agua se congela 0° C

Un litro es más o menos lo mismo que cuatro vasos de agua:

El peso de un libro es más o menos un kilogramo:

Una tachuela mide más o menos un centímetro:

Un lápiz de colorear tiene más o menos DIEZ centímetros de largo:

En un día agradable, no caluroso y no frío, la temperatura es más o menos de 25º Centígrados.

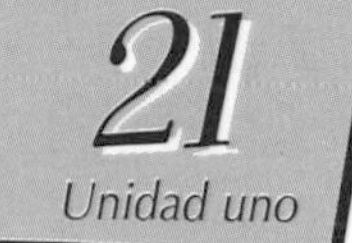

Venezuela es una belleza, pero pronto los tres amigos tienen que salir hacia su próximo destino, Colombia. Antes de irse, necesitan buscar información y prepararse para el viaje. ¿Cómo van a viajar? ¿Qué necesitan buscar? ¿Qué van a ver en Colombia?

Con tantas cosas que hacer, los tres amigos deciden separarse. Briana decide visitar la biblioteca. Ella va a buscar un libro sobre Colombia. Alex va a una agencia de viajes. Él quiere saber qué medios de transporte hay entre Venezuela y Colombia. Kevin decide visitar el Consulado de Colombia. Quizás tienen un mapa o panfletos. Con este plan, los tres dicen adiós y van por sus caminos.

Por la tarde los aventureros se reúnen y hablan de su día. Briana ya tiene muchas ideas. Ella dice que Bogotá, la capital, es bonita, pero lo más interesante es Cartagena, una ciudad antigua. Kevin mira su mapa nuevo y dice que él quiere ir a la playa en Santa Marta y quizás ver la ciudad de Cali. Alex dice que deben viajar en autobús porque es barato. Él dice que viajar en avión es muy caro.

Con toda esta información, los tres amigos deciden escribir un resumen para los tíos. Primero apuntan sus ideas de esta forma:

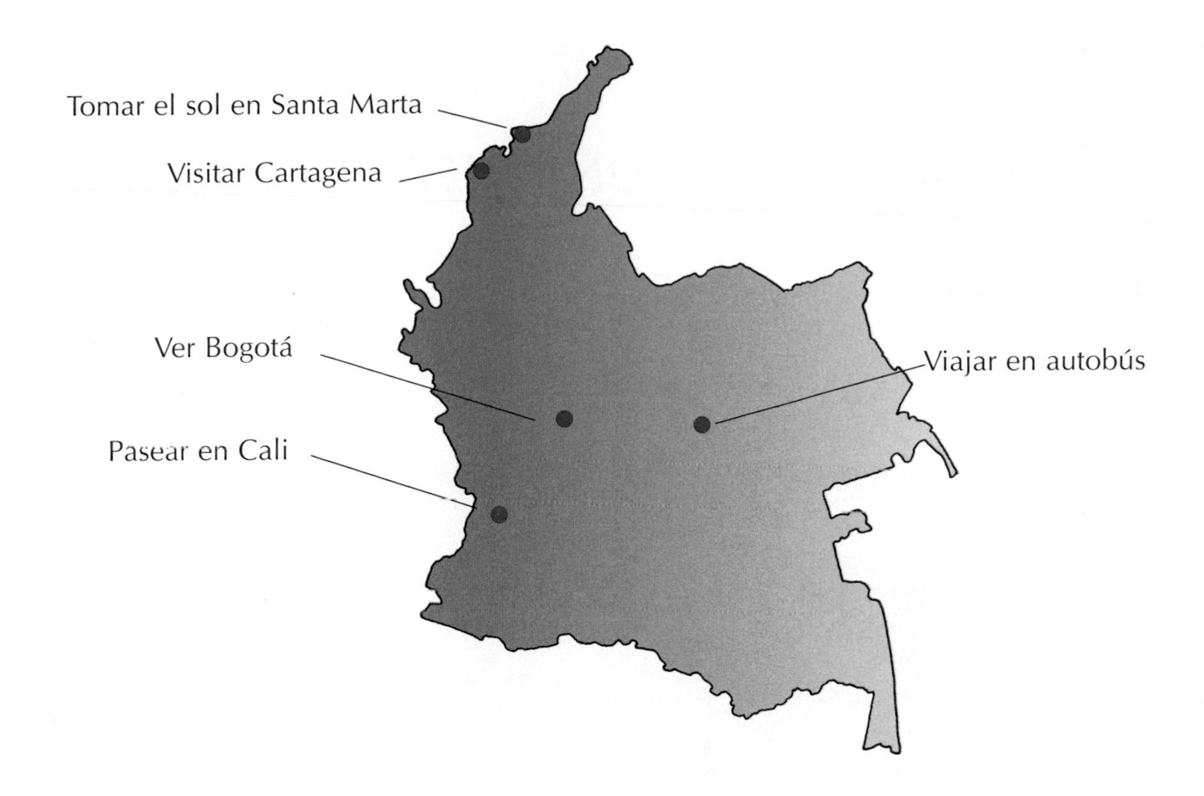


Después, los amigos ordenan sus ideas y Briana escribe un resumen. Luego ella lee el párrafo en voz alta a sus compañeros y pregunta: —¿Están todas las ideas? ¿Podemos mejorar este resumen?— Kevin y Alex dicen que está bien. Ahora Briana edita el trabajo. Ella revisa la ortografía y añade algunos puntos y comas. Por fin ella completa el trabajo y lo escribe otra vez sin errores. Ahora, léelo tú:

Queremos viajar de Venezuela a Colombia en autobús. Al llegar a Colombia, queremos ver y hacer muchas cosas. Podemos ir a la playa y tomar el sol en Santa Marta. Después podemos visitar Cartagena, una ciudad antigua. También podemos ver la capital, Bogotá, y pasear por la ciudad de Cali. ¡Hay tantas cosas interesantes!

# UNA VISITA A COLOMBIA

Bogotá es una ciudad grande e interesante.

Cartagena, ¡qué bella ciudad!

El fútbol es el deporte nacional.

Las "chivas" son autobuses muy pintorescos.

lección **uno**

## Llegando a Colombia

Los tres amigos y los tíos están saliendo de Venezuela en ruta a Colombia. Están tristes porque se van de Venezuela, pero están felices porque piensan que van a descubrir muchas cosas nuevas en Colombia.

Ellos se bajan del autobús en la frontera y les dan sus pasaportes al oficial de la aduana para sellarlos.

Todos vuelven a subir al autobús. Los tíos se sientan delante de Alex y Kevin. Briana se sienta detrás de los muchachos. Están viajando unos minutos cuando oyen un PUM - PUM - PUM - ¡CATAPLÚN!

Todos se levantan menos Briana. Ella está escribiendo tarjetas postales y no oye al chofer.

Todos los pasajeros están preocupados; ¿qué van a hacer?

Todos están corriendo para subir a la chiva y el chofer está poniendo paquetes y cosas arriba.

## Conocemos Colombia

Colombia está en el norte de Sudamérica, entre Venezuela, Ecuador, Perú, Brasil y Panamá. La población de Colombia es de 34 millones de habitantes. Las ciudades más importantes son Bogotá, Medellín, Cali, Barranquilla y Cartagena. Colombia tiene fama por su café, por su oro y por sus esmeraldas.

Colombia tiene una historia muy rica: los españoles llegaron a Colombia en el año 1509 y conquistaron todo el país en 1538. La nueva colonia se llamó "Nueva Granada".

Simón Bolívar liberó a Nueva Granada de España en el año 1819 y le cambió el nombre a "la Gran Colombia". En aquel tiempo, la Gran Colombia incluía también el territorio que hoy es Venezuela, Ecuador y Panamá. En 1830, Venezuela y Ecuador recibieron su independencia, y en 1903, Panamá y Colombia se separaron y cada país quedó independiente.

Cartagena

Bogotá es la capital y la ciudad más grande de Colombia. Tiene casi cuatro millones de habitantes. Como Bogotá está en las montañas, allí hace frío durante casi todo el año. A Bogotá la llaman también "la Atenas de las Américas", porque tiene muchos escritores, intelectuales y artistas.

La comida típica de Colombia es el sancocho, una sopa con muchos vegetales y carne. Los colombianos también comen muchas arepas y pan de yuca. Y no podemos olvidar que el café es muy importante en la vida de los colombianos.

Colombia es un país de muchas bellezas naturales, como los Andes, las playas de Santa Marta y San Andrés y el valle del Cauca. También tiene ciudades muy bellas, como Medellín, Cali o Cartagena, una de las ciudades más antiguas de Sudamérica. ¡Colombia les va a encantar!

Bogotá

## El deporte nacional

Para los colombianos el deporte número uno es el fútbol. Cada ciudad, pueblo y escuela tiene un equipo. Los muchachos aprenden a jugar fútbol muy jóvenes y miles de aficionados miran los partidos por televisión y en los estadios del país.

Un equipo de fútbol tiene once jugadores. Un partido dura más o menos una hora y media. El objeto del juego es meter la pelota en la portería del otro equipo usando las piernas y la cabeza, pero no las manos. Sólo el portero puede tocar la pelota con las manos. Cada gol vale un punto. El equipo con más puntos gana el partido.

Alex, Kevin y Briana están jugando fútbol en un parque de Cartagena. Las muchachas están jugando contra los muchachos.

| | |
|---|---|
| Briana: | ¡Aquí! Tírame la pelota a mí. |
| Pilar: | Cuidado, Briana, Kevin está detrás de ti. ¡Corre! |
| Kevin: | Mira, Alex. Patea la pelota. |
| Muchachos: | ¡Gol! ¡Estamos ganando! |
| Mª Lucía: | Vamos a ver. Patéame la pelota a mí, Briana. |
| Briana: | Corre, María Lucía. Te voy a mandar la pelota. Salta. Allí va Alex. |
| Alex: | ¡Ay! No puedo parar la pelota. Las muchachas hicieron un gol. |
| Pilar: | Toma la pelota, Briana, y pásamela. |
| Briana: | Voy a meter otro gol. |
| Mª Lucía: | Patéala bien. Corre, ahora. ¡Patéala! ¡Así! |
| Kevin: | Estamos perdiendo. Mira como las muchachas están corriendo. |
| Muchachas: | ¡Sí, sí, sí — les ganamos a los muchachos! |

lección

# cuatro

## ¡Qué aventura!

—¿Qué vamos a hacer? —preguntó Briana—. El tío tiene que trabajar y la tía no quiere salir.

—Alex, Briana, vengan; miren lo que encontré debajo de esta tabla —dice Kevin—. Es un mapa muy viejo. Parece que es el mapa de un tesoro, ¿no?

Muy calladitos, los tres amigos salen de su hotel en busca del tesoro. El hotel fue construido en 1580. Las calles de Cartagena son de piedra y todos los edificios son muy antiguos. Caballos y coches llevan a la gente por toda la ciudad, como en el siglo XVI. Hay un muro que rodea la ciudad. Durante la época de la conquista, los españoles guardaron en Cartagena el oro y la plata que encontraron en Sudamérica. Por eso hay grandes fortalezas por toda la ciudad.

—Primero tenemos que buscar una iglesia —dice Alex.

—Pero hay muchas; no podemos verlas todas —dice Briana—. Está la iglesia de San Pedro Claver, la iglesia de Santo Domingo, la iglesia de Santa Teresa, el monasterio de San Agustín y la iglesia de Santa Clara. ¿Por dónde empezamos?

—Me parece que debemos empezar por la iglesia de Santa Teresa. Está cerca del muro, según el mapa —dice Kevin—. ¿Qué les parece?

—Sí —contesta Alex—, y de esa iglesia hay una línea que va hasta la iglesia San Pedro Claver. Allí es donde un señor pidió dinero para dar a los esclavos. Lo llamaron "el esclavo de los esclavos".

—Yo recuerdo que estudié sobre el señor Pedro Claver —añadió Briana—. Se sentaba en su balcón para ver cuando venían los barcos llenos de esclavos, para ayudarlos.

—Vamos a pasar por este huecoooooo... —gritó Alex.
—¡Alex! —gritó Kevin—. ¿Qué pasó? ¿Dónde estás?
—Aquí, parece que hay un túnel. Bajen y traigan una linterna —les dijo Alex.

A Briana no le gustó la idea de meterse en un túnel, pero después pensó y dijo—: ¿Ustedes creen que ésta puede ser la ruta que indica el mapa?

—¡Qué buena idea! El túnel pasa en la misma dirección. ¡Vamos rápido! Se acaban las pilas de la linterna —dijo Kevin.
—¿Y si encontramos el tesoro —preguntó Alex—, nos quedamos con él?
De repente oyeron una voz rara—: Váyanse de aquí... Váyanse de aquí... Les digo que se vayan de aquí.
—¿Quién es? —preguntó Alex.
—¡Aaay! —gritó Alex cuando sintió una mano fría en la espalda—. ¿Quién me toca?
—Váyanse de aquí... Váyanse de aquí... —dijo la voz más alto.
—¡Vámonos! —dijo Briana.
—¿Por dónde? —preguntó Alex.
—Por acá —dijo Kevin, apuntando a una raya blanca en la pared oscura....

*Continuará...*

lección *cinco*

## Hablando de deportes

A mí me gusta un deporte, a Kevin le gusta otro, y a Alex le gusta otro. ¿Qué podemos hacer entonces?
Yo tengo una idea. Vamos a jugar un deporte que a todos nos gusta.
¿Pero qué deporte es ese?
¡Comer! Podemos ir a comer al parque, al zoológico, al cine, al museo, ¡a todas partes!
Ay, Kevin, siempre estás pensando en comida...
MUÑECOS

lección *seis*

## Aprendemos algo nuevo

El viaje a Colombia está lleno de visitas. Los tres amigos visitaron las tres ciudades más importantes de Colombia, Cali, Medellín y Bogotá. En cada ciudad, Briana visitó los museos y Alex y Kevin visitaron los parques. Los tíos visitaron las tiendas y los restaurantes.
¡Visitas, visitas, visitas!

## HOY

| | | |
|---|---|---|
| Yo | **visito** | Cartagena |
| Tú | **visitas** | San Andrés |
| Él / Ella / Ud. | **visita** | Medellín |
| Nosotros | **visitamos** | Cali |
| Ellos / Ellas / Uds. | **visitan** | Barranquilla |

Briana visita Colombia.

Los tres amigos visitan las iglesias de Cartagena.

## AYER

| | | |
|---|---|---|
| Yo | **visité** | Bogotá |
| Tú | **visitaste** | Colombia |
| Él / Ella / Ud. | **visitó** | Santa Marta |
| Nosotros | **visitamos** | Cali |
| Ellos / Ellas / Uds. | **visitaron** | Popayán |

La semana pasada Briana visitó la casa de Simón Bolívar en Venezuela.

Anoche los tres amigos visitaron la casa de Simón Bolívar en Colombia.

lección **siete**

Aplicando lo que sabemos

Los tres amigos y los tíos estaban llegando a Cartagena cuando empezó a llover. Cuando hay mucha lluvia los oficiales cierran la ciudad porque entra mucha agua.

Todos estaban caminando de la estación de autobuses a la entrada de la ciudad cuando empezaron a cerrar las puertas. Tuvieron que correr para llegar a tiempo.

Ahora, mojados, estaban buscando el hotel. Frente a unos apartamentos, un hombre viejo le dijo al tío: —Camina dos cuadras hacia la iglesia y dobla a la izquierda. Luego camina dos cuadras más y el hotel está a la izquierda, detrás de la biblioteca. Los cinco estaban corriendo bajo la lluvia. Pero después de dos cuadras no podían doblar a la izquierda.

—Aquí está la iglesia, pero no podemos doblar a la izquierda. Déjame preguntarle a esta señora —dijo Briana—. ¿Dónde está el Hotel Cartagena, por favor?

—Camina dos cuadras y dobla a la izquierda —dijo la señora—. El hotel está entre la biblioteca y el museo.

AUTOBUSES

1

Los cinco caminaron dos cuadras y cuando doblaron a la izquierda encontraron al hombre de nuevo.

—Perdóneme señor, usted me dijo: camina dos cuadras y dobla a la izquierda, pero cuando caminamos dos cuadras y doblamos a la izquierda, no estaba el hotel.

—Tienen que ir por la calle de la universidad, no por la calle del cine. Ya van a llegar.

Ya estaban todos cansados. Llamaron a un taxi y por fin llegaron al hotel.

—¿Por qué los españoles nombraron las esquinas y no las calles? —preguntó el tío.

—¡Y ahora me dices eso! —dijo Briana—. La próxima vez tenemos que preguntar en qué esquina están los lugares, no en qué calle.

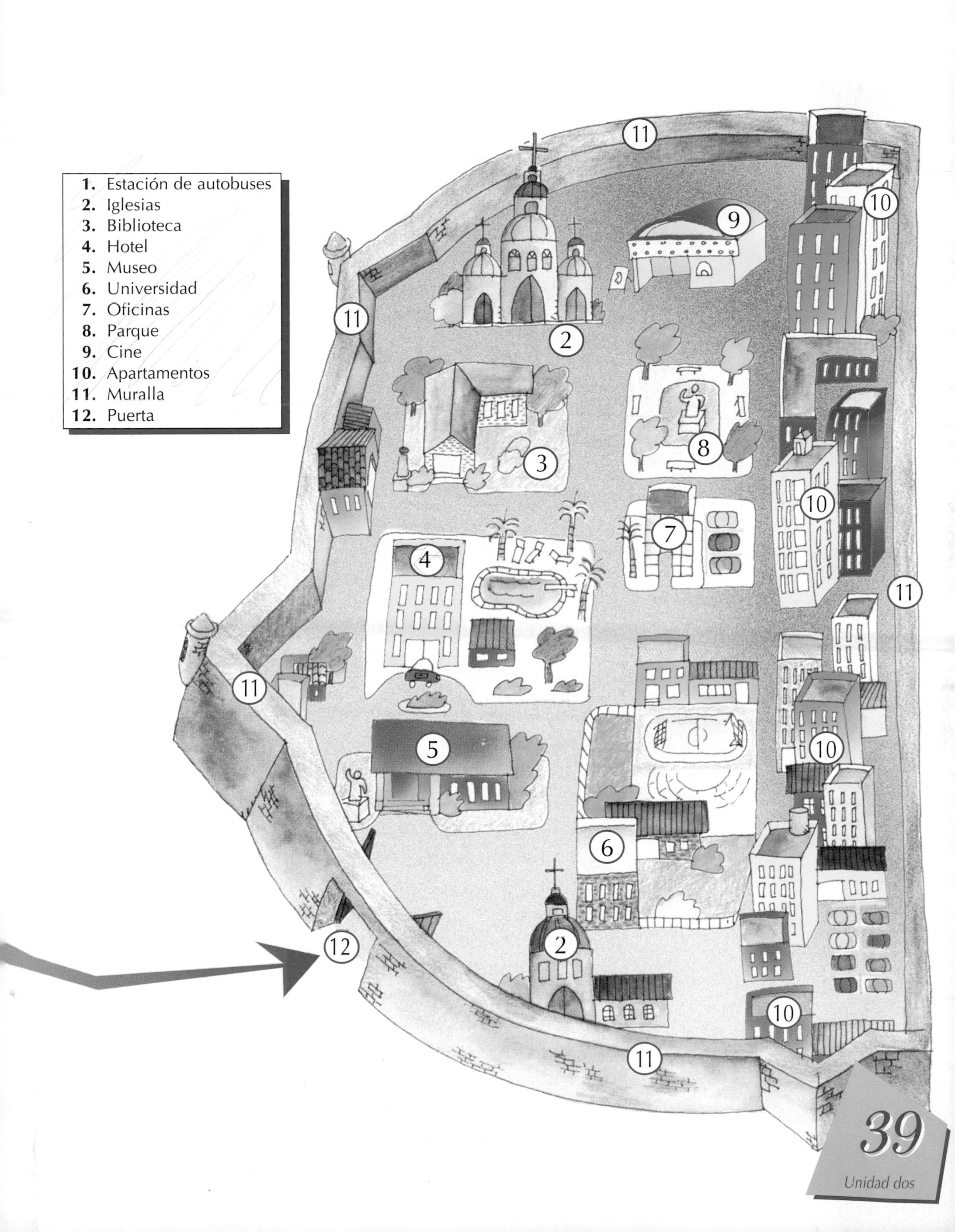
1. Estación de autobuses
2. Iglesias
3. Biblioteca
4. Hotel
5. Museo
6. Universidad
7. Oficinas
8. Parque
9. Cine
10. Apartamentos
11. Muralla
12. Puerta

lección **ocho**

| | |
|---|---|
| Briana: | ¿Qué tarjetas postales van a comprar? |
| Alex: | Yo voy a comprar una de la chiva típica. |
| Kevin: | Yo, una de un partido de fútbol en el estadio de Bogotá. ¿Y tú, Briana? |
| Briana: | Ya compré una del muro de Cartagena. Vamos a sentarnos a escribir. |
| Kevin: | ¿Qué puedo escribir en una tarjeta postal? ¡Casi no hay espacio! |
| Alex: | Tienes razón, Kevin. Yo tampoco sé qué escribir... |
| Briana: | Bueno, pueden poner la fecha y un saludo como "Querida mamá" o "Queridos papás". Después ponen un mensaje corto donde cuentan algo divertido que hicieron o donde dicen cómo lo están pasando. Después terminan con una despedida como "Con mucho cariño", "Hasta la próxima" o "Besitos" y tu firma. Recuerden que solamente pueden escribir en la parte izquierda de la tarjeta. En la parte derecha hay que poner la dirección a donde va la tarjeta y un sello. Si quieren, podemos practicar en un papel blanco. Aquí tengo papel. |

Los tres amigos escribieron un borrador en un papel blanco. Aquí están sus postales, léelas:

6 de julio

Queridos papás:
Lo estamos pasando
muy bien en Colombia.
Cada día tenemos
aventuras nuevas;
hasta subimos a
un autobús como
éste. Se llama
una chiva.

Hasta la
próxima,
Alex

Señores Jones
560 Peachtree Rd.
Miami, Florida
Estados Unidos

6 de julio

Queridos papás:
¡Estoy aprendiendo mucho
español! Me gusta mucho
Colombia.
Siempre estamos ocupados;
hasta jugamos fútbol.
Mañana vamos a
Ecuador.
Con mucho cariño,
Kevin

Señores Merrill
600 Peachtree R.D
Miami, Florida
Estados Unidos

6 de Julio

Querida mamá:
Estamos en Cartagena,
Colombia. Todos los
días hacemos cosas
interesantes y comemos
cosas ricas como
arepas y pan de yuca.
Pronto vamos a
Ecuador. Te echo
de menos. Besitos,
Briana

Señora Peterson
420 Peachtree Rd.
Miami, Florida
Estados Unidos

# UNIDAD TRES 3

## UNA VISITA A ECUADOR

Quito, la capital de Ecuador, está a miles de metros de altura sobre el nivel del mar.

Los grupos indígenas ecuatorianos luchan por conservar sus tradiciones.

En las islas Galápagos hay una gran variedad de animales.

lección **uno**

## LLEGANDO A ECUADOR

Los tres amigos están viajando de Colombia a Ecuador. Están muy arriba en los Andes y están casi en el ecuador. Pronto pasarán por la frontera entre los dos países. Van en ruta a Quito, la capital, donde van a visitar a un amigo de los tíos. Después piensan tomar un barco a las islas Galápagos. Los muchachos están muy emocionados, porque van a conocer otro país, otras costumbres, otra historia y otra gente.

Los tres amigos y los tíos bajan del carro. Ven un globo enorme que marca por donde pasa el ecuador.

Media hora más tarde llegan a Quito, a la casa de un amigo de los tíos.

Alex, Brianna y Kevin saludan a Rafael, el amigo del tío.

lección **dos**

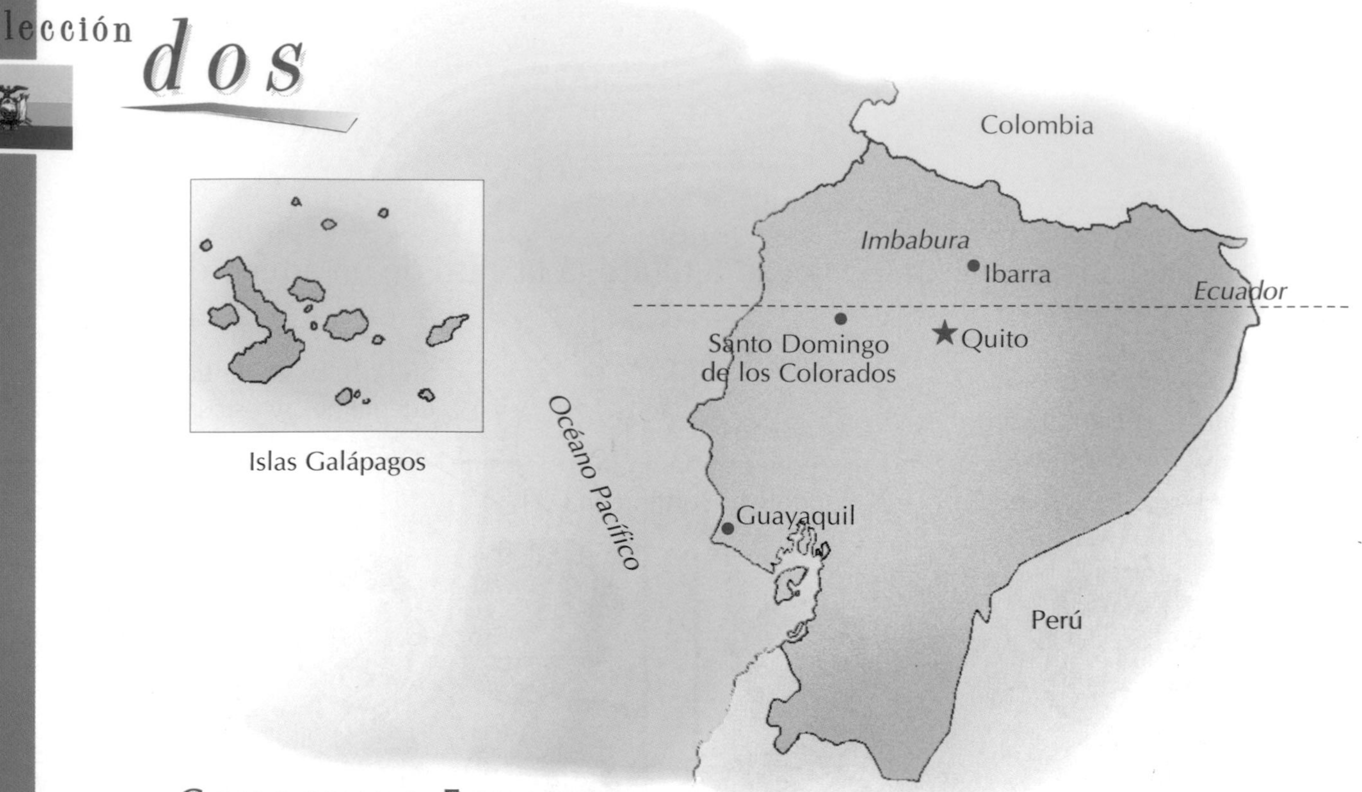


## Conocemos Ecuador

Ecuador, localizado entre Colombia y Perú, es un país de muchos contrastes. Tiene la región de la costa en el Océano Pacífico, la sierra alta, donde está la capital, Quito, y el valle del Amazonas, donde están las selvas tropicales.

La agricultura es muy importante para los ecuatorianos. Las grandes haciendas producen cacao (de donde viene el chocolate), azúcar, arroz, café y bananas. También encontraron petróleo en el país recientemente.

Extracción de petróleo

Ecuador tiene una historia muy interesante. Quito fue la capital del imperio norte de los incas. El último rey inca fue ecuatoriano. En el año 1530, los conquistadores españoles tomaron control del país, y Ecuador fue una colonia española hasta el año 1822. Ecuador fue parte de Nueva Granada y de la Gran Colombia hasta que obtuvo su independencia en el año 1830.

En Ecuador tienen muchas comidas típicas ricas. Entre ellas están las coladas (sopa de carne y verduras), el llapingacho (tortilla frita de papa y queso con huevo), el ají (salsa picante) y las humitas (tamales de maíz).

Vista de Quito desde la parte antigua de la ciudad.

Otros datos interesantes sobre Ecuador:

- El país tiene una población de más de 11 millones de habitantes.
- La capital, Quito, tiene más de un millón de habitantes.
- Quito está a más de 2800 metros sobre el nivel del mar.
- En el país hay más de 15 universidades.
- La ciudad más grande del país no es la capital sino Guayaquil, con más de un millón y medio de habitantes.

## lección *tres*

### La cultura indígena

Un día, los tres amigos fueron a la escuela con la hija de Rafael, Maritza. La maestra estaba hablando de la rica cultura de Ecuador. Les decía: —Hoy hablamos de los grupos indígenas ecuatorianos que luchan por preservar sus tradiciones. Vamos a tomar un viaje imaginario por el país. Primero vamos a la Sierra, al pueblo de Imbabura. Los otavalos de Imbabura hacen mucha artesanía, suéteres y ponchos que los hombres venden en los mercados. Las mujeres usan muchos collares de oro. Otras tribus del área son los salasacas y los saraguros.

Indígenas ecuatorianos

Cada grupo mantiene su vestimenta típica.

El segundo lugar que vamos a visitar es Santo Domingo de los Colorados, un pueblo que está al oeste de Quito, cerca de la costa. Allí viven los indios colorados; los llaman así porque los hombres de la tribu se pintan el pelo de rojo. Les gusta cazar y pescar.

La tercera región que visitamos es el Oriente, donde viven las tribus de los yumbos, záparos, jíbaros y aucas. Hace mucho tiempo, los jíbaros cortaban las cabezas de sus enemigos y las reducían. Después vendían las cabecitas chiquitas. ¡Menos mal que ahora todo eso es ilegal! Estos grupos van cada vez más adentro del país para tratar de mantener sus costumbres y "escaparse" de la civilización.

La cultura ecuatoriana es muy variada. Todos estos grupos indígenas, junto al resto de las razas y culturas que coexisten en Ecuador, crean un conjunto interesante y único.

lección

# cuatro

## MISTERIO DE LAS ISLAS GALÁPAGOS

Rafael, el amigo del tío, tiene que hacer un viaje a las islas Galápagos. Un hombre mató a dos tortugas y él va a ayudar a encontrarlo. Rafael habla con los tres amigos.

Fueron en barco a las islas. Cuando llegaron los esperaba un oficial del gobierno.

Pero Briana tenía otra idea. Cuando Rafael salió, les contó a los muchachos.

Los tres durmieron en el hotel. Cuando llegó Rafael, se fue a dormir también. A medianoche, Briana despertó a Kevin y a Alex y los tres salieron calladitos del hotel.

Los tres fueron por sus caminos. Estaba muy oscuro. Después de una hora, Alex y Kevin volvieron. No vieron a nadie. Esperaron una hora más. De repente Briana apareció corriendo y muy cansada.

Cuando los tres llegaron, el hombre levantaba una piedra para matar al animal.

El plan triunfó. Alex le puso un saco por la cabeza, Kevin le amarró los pies con un cinturón y Briana le quitó la piedra. El hombre no pudo moverse.

Cuando llegaron la policía y Rafael, los tres amigos contaron toda la historia.

lección

# cinco

## Un paseo muy divertido

Los tres amigos están viajando por todo Ecuador. En los últimos días en el país van a visitar tres lugares muy divertidos: van a una hacienda cerca de Ibarra, a un zoológico en Quito, y a un refugio acuático en Guayaquil. Vamos a ver lo que descubren.

### Visita a una hacienda

Briana: ¡Qué bonita la hacienda! Mira todos los animales.

Rafael: Vamos a dar un paseo por la hacienda. ¡Mira! Allá están los caballos, en el corral.

Kevin: Yo quiero montar los caballos.

Rafael: Tal vez más tarde, Kevin. Pero mira allá en el prado. Allá están las vacas.

Briana: Y allí están los patos en el lago. ¡Qué bonitos! Y mira los cerdos. ¡Qué olor!

Alex: ¿Qué hay en esas casitas?

Rafael: En esas casitas viven las gallinas y los gallos. ¿Te gustan los huevos, verdad?

Alex: Sí, me gustan. Mira todos los árboles. ¿Qué clase de árboles son?

Rafael: No son árboles, son matas de bananas, un producto muy importante para el país.

Briana: Yo quiero vivir en una hacienda. ¡Qué vida!

lección **cinco**

VISITA A UN ZOOLÓGICO

| | |
|---|---|
| Kevin: | El zoológico de Quito es muy parecido a los zoológicos de los Estados Unidos. |
| Briana: | Sí, los elefantes son igual de grandes. |
| Alex: | Y los monos son igual de locos. |
| Kevin: | Y los tigres y leones son igual de fuertes. |
| Alex: | La única diferencia es con los caballos. ¡Qué largos son los cuellos! |
| Briana: | Ay, chico, ¿estás loco? Ésos no son caballos, son jirafas. |
| Alex: | Verdad... Entonces los zoológicos sí son muy parecidos a los de mi país. |
| Kevin: | Vamos, está empezando el "show" de los monos en bicicleta. |

VISITA A UN REFUGIO ACUÁTICO

| | |
|---|---|
| Alex: | ¿Qué es un refugio, tío? |
| Tío: | Un refugio es un lugar donde protegen a los animales, porque si no los protegen van a desaparecer. |
| Briana: | Entonces un refugio acuático protege a los animales que viven en el agua. |
| Tío: | Así es. |
| Guía: | Aquí los animales viven en lugares naturales. Por este lado se ven los delfines. |
| Kevin: | Y por este lado están las ballenas. ¡Mira qué grandes son! |
| Briana: | Mira en las rocas, las focas están jugando. |
| Guía: | Si se tranquilizan un poco, les voy a enseñar una sorpresa. |
| Alex: | Ya estamos tranquilos. ¿Qué es? |
| Guía: | En aquellas aguas hay muchos pulpos recién nacidos. |
| Kevin: | ¡Qué chévere! Son igualitos a los de las comiquitas. |
| Alex: | ¿Dónde están los tiburones? |
| Guía: | En este refugio no tenemos tiburones. Ellos están en el océano. |
| Briana: | ¡Qué divertido todo esto! ¡Esperamos volver otro día! |

## Aprendemos algo nuevo

¿Qué vas a ser en el futuro?

| | |
|---|---|
| Briana: | Voy a ser veterinario. Me gustan los animales y los voy a cuidar. |
| Kevin: | Voy a jugar fútbol. Me gustan los deportes y voy a ser deportista profesional. |
| Alex: | Voy a estudiar, voy a viajar, voy a aprender muchos idiomas y voy a trabajar duro. Creo que voy a ser un hombre de negocios como el tío. |

Briana va a ser veterinario, Kevin va a ser deportista y Alex va a ser un hombre de negocios. ¿Qué vas a ser tú?

Piensa en todas las cosas que puedes hacer en el futuro:

| ¿Quién? | Ir + a | Plan del futuro |
|---|---|---|
| yo | voy a | estudiar... |
| tú | vas a | trabajar... |
| él | va a | viajar... |
| ella | va a | manejar... |
| usted | va a | cocinar... |
| nosotros | vamos a | escribir... |
| ellos | van a | jugar... |
| ellas | van a | ser... |
| ustedes | van a | |

Habla del futuro. ¿Qué planes tienes? ¿Qué vas a hacer? ¿Qué vas a ser? ¿Y tus amigos?

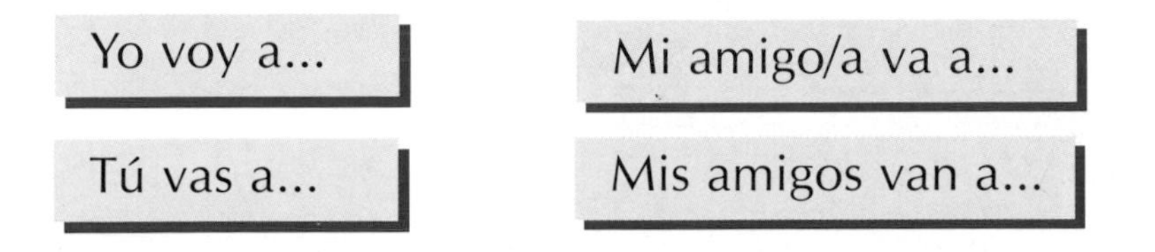
Yo voy a...

Mi amigo/a va a...

Tú vas a...

Mis amigos van a...

lección

# siete

## Aplicando lo que sabemos

Alex: Briana, ¿que lees?

Briana: Un libro que se llama *Los animales de Sudamérica*. Es de Rafael. Él me dijo que hay muchos animales diferentes en este continente.

Kevin: ¿Podemos leerlo contigo?

Briana: Sí, siéntense aquí conmigo y vamos a ver los animales.

En los Andes viven:

*el cóndor*

*la llama*

*la alpaca*

*el oso de anteojos*

En las pampas viven:

*el ñandú*

*el mará*

## En las selvas viven:

*el perezoso*

*el tucán*

*la anaconda*

*el caimán*

*la piraña*

*el tapir*

*el colibrí*

*el jaguar*

## En las islas Galápagos viven:

*el alcatraz de patas azules*

*la iguana marina*

*la tortuga gigante*

*el pingüino*

## Vamos a escribir

Animales, animales y más animales. Los tres amigos vieron muchos en Ecuador.

Kevin: Briana, ¿cuál es tu animal favorito?
Briana: Me gusta el alcatraz de patas azules. ¡Qué cómico es con esas patas azules! Y tú, ¿cuál es tu animal preferido?
Kevin: Me gusta la iguana marina, parece un dinosaurio chiquito.
Briana: Alex, ¿cuál es tu animal favorito?
Alex: Me gustan muchos, primero me gusta el alcatraz de patas azules, segundo la tortuga gigante, tercero la piraña, cuarto...
Kevin: ¡Ay, muchacho! ¿Y quinto, sexto y séptimo?

De repente Kevin tiene una idea. Él dice que deben escribir un informe sobre su animal favorito. Briana y Alex dicen que sí. Deciden trabajar juntos. Van a escribir un informe sobre el alcatraz de patas azules, porque les gusta mucho a los tres.

Primero buscan información. Pueden ir a la biblioteca, pero ya tienen el libro de los animales de Sudamérica que Rafael les prestó. Buscan la parte que habla de su animal favorito. Leen la información y después apuntan sus ideas de esta forma:

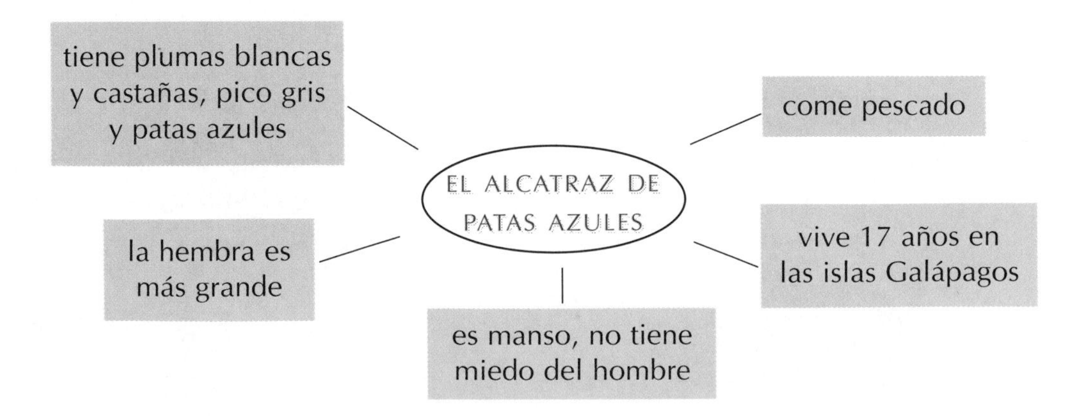

Después ordenan sus ideas y escriben un borrador. Briana lee el párrafo en voz alta y pregunta si están todas las ideas. Alex dice que olvidaron poner dónde vive. Kevin lo escribe. Ahora Briana edita el trabajo. Ella revisa la ortografía y pone algunos puntos y comas.

Por fin Alex completa el trabajo y lo escribe otra vez sin errores. Ahora léelo tú:

Nuestro animal favorito
es el alcatraz de patas
azules. Tiene plumas
blancas y castaños, el
pico gris y patas azules.
Come pescado y es manso,
no tiene miedo de los
hombres. La hembra es
más grande. El alcatraz
de patas azules vive
más o menos 17 años en
las islas Galápagos. Es
un pájaro cómico e
interesante.

# UNIDAD CUATRO 4

## UNA VISITA A PERÚ

Lima tiene muchos ejemplos de arquitectura colonial.

En tren por los Andes

Machu Picchu, la legendaria
ciudad-fortaleza inca.

lección
# uno

## LLEGANDO A PERÚ

Los tres amigos y los tíos están viajando de Ecuador a Perú. Van en tren para conocer la vieja ruta de los incas. En la frontera los oficiales les sellan los pasaportes. El viaje dura muchas horas, pero los tres amigos no se cansan de oír cuentos sobre los incas.

Briana: ¿Quiénes fueron los incas?
Tío: Los incas fueron la última civilización grande en Sudamérica.
Alex: ¿Y qué les pasó?
Tío: Los españoles conquistaron a los incas.
Alex: ¿Por qué?
Tío: Bueno, los españoles conquistaron a los incas y otras civilizaciones de América en busca de oro y plata para España.
Briana: ¿Dónde vivieron los incas?
Tío: Los incas vivieron en Perú, pero también en otras partes, como Colombia, Ecuador, Bolivia, Chile y Argentina. La capital inca fue Cuzco, un pueblo que vamos a visitar.

Alex: A mí me gusta oír sobre los incas; quiero aprender muchas cosas sobre ellos.

Kevin: No se puede. Todos se murieron.

Briana: No es cierto, ¿verdad tío?

Tío: Así es, Briana. Hoy día hay muchos descendientes de los incas aquí en Perú. Vamos a pasar por muchos pueblos donde la gente vive exactamente como sus antepasados.

Tía: Descansen ahora un rato y miren por la ventana. Piensen que por esta misma ruta pasaron los incas hace 600 años. ¡Imagínense!

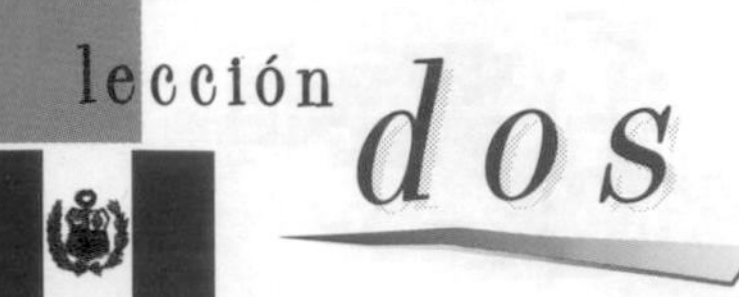


## Conocemos Perú

Cuando el tren cruzó la frontera entre Ecuador y Perú, una representante de turismo repartió folletos con información sobre el país.

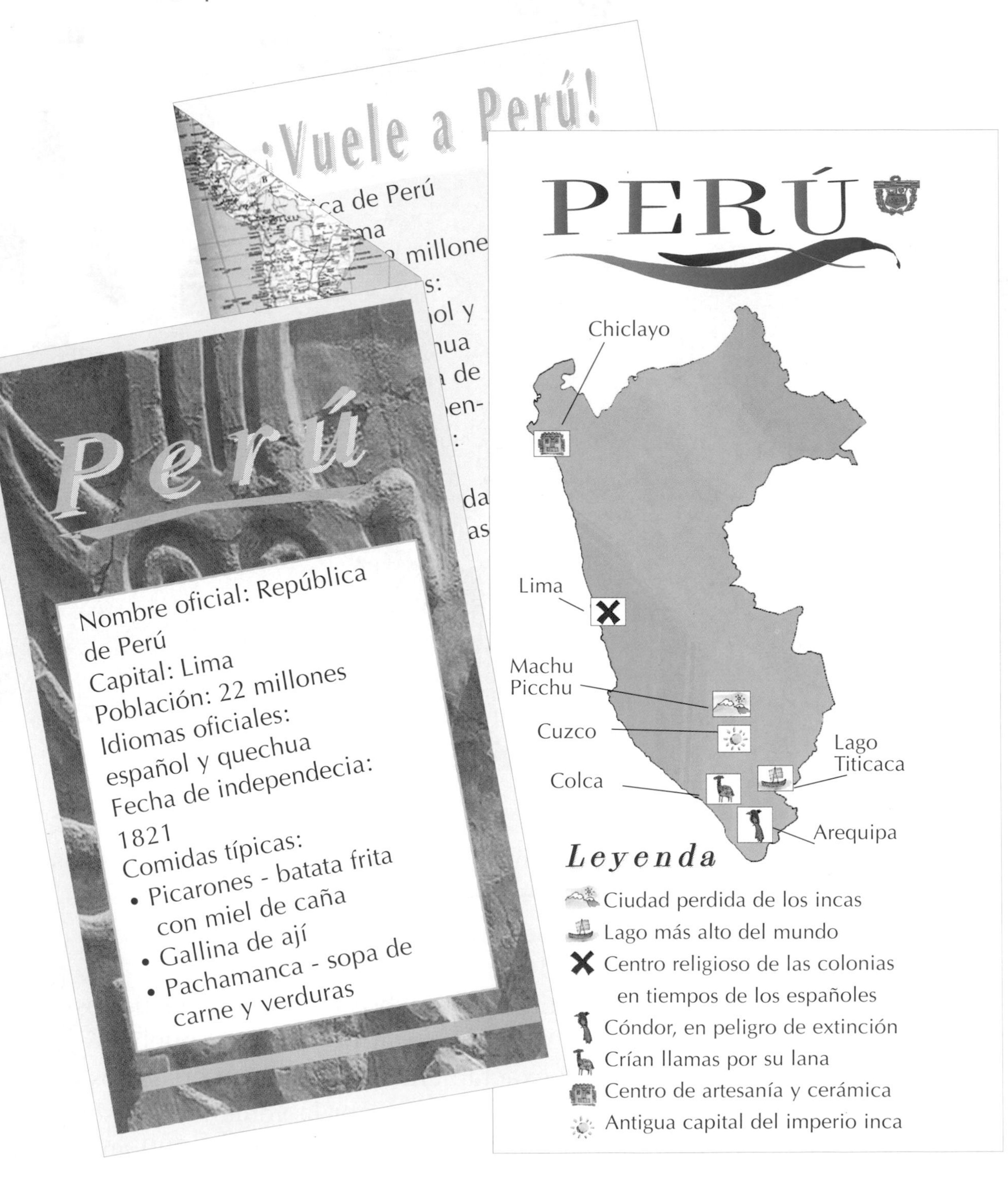

# Una pequeña historia del Perú moderno:

*En el año 1527, el conquistador español Francisco Pizarro llegó a Perú y vio las riquezas de los incas. Cinco años después, Pizarro llegó a Perú con 150 hombres y conquistó a los incas.*
*Muchos españoles fueron a Perú en busca de fortuna. Casi 300 años más tarde, Perú obtuvo su independencia de España, con la ayuda de Simón Bolívar.*

En Perú, el dinero, o la unidad monetaria, se llama el **nuevo sol**. Antes se llamaba el **inti**, el nombre del dios del Sol de los incas. Para hacer compras en Perú, hay que ir a un banco o a una casa de cambio y cambiar el dinero extranjero por nuevos soles.

lección **tres**

## UN VIAJE A MACHU PICCHU

Los tres amigos y los tíos montan en el tren a las seis de la mañana. Van a Machu Picchu, la ciudad perdida de los incas. Van con un guía, Roberto Fuji. El Sr. Fuji sabe mucho sobre los incas. Él es descendiente de los incas por parte de su mamá (y de los japoneses por parte de su papá). Él les cuenta de Machu Picchu mientras viajan en el tren.

—Machu Picchu fue descubierta en el año 1911 por un norteamericano que estaba muy interesado en las ruinas de los incas.

Machu Picchu

La ciudad de Machu Picchu fue construida encima de una montaña en los Andes. Hay una sola entrada a la ciudad. Nadie, ni los españoles, supieron cómo entrar a esta ciudad.

Francisco Pizarro, conquistador

Los incas eran muy inteligentes e hicieron carreteras de piedra entre Cuzco y Machu Picchu. Hicieron puentes de fibras que hay en las junglas. Así llegaban a Machu Picchu en el tiempo de los incas. Casi 1000 personas vivían en Machu Picchu. En el medio de la ciudad hay una plaza mayor. Los nobles vivían en el centro y los pobres vivían alrededor de la ciudad. Era difícil sembrar en las montañas, así que los incas hicieron terrazas o "andenes" en las montañas. Así pudieron sembrar maíz, papas y otros vegetales.

Cuando lleguemos a Machu Picchu, tienen que ver el templo mayor, donde vivieron los nobles, y el templo de las tres ventanas, desde donde los soldados vigilaban la ciudad.

Kevin, tienes que ver las cuevas donde enterraban a los muertos. Briana, a ti te va a gustar la arquitectura. Tienes que ver las casas que hicieron de piedra, pero sin cemento; ¡es increíble! Alex, tienes que visitar "Intihuatana" o la piedra del Sol. Para los incas, el dios del Sol era el más importante de todos los dioses.

Bueno, estamos llegando. Hay muchas cosas que ver, así que tienen que apurarse. Recuerden, el último tren sale a las tres. Están en la ciudad perdida de los incas, así que ¡no se pierdan!

lección

# cuatro

## Una aventura en Machu Picchu

Me parece que vamos a tener otra aventura...
¡Qué bueno! ¡Vamos!
No les va a pasar nada. Machu Picchu no es El Amazonas o las murallas de Cartagena.
¿Cómo sabes tú del Amazonas y Cartagena?
No se preocupen. Vengan.
Los tres amigos siguen a Quipu por el sendero de los incas. Al rato, se paran frente a una casa de piedra.
Ésta es mi casa. Sólo duermo en mi casa. Cuando me despierto por la mañana, me levanto y voy al río. Allí me lavo, me peino y me visto. Después, busco unas frutas y me desayuno.

¿Tú buscas el desayuno? ¿Dónde está tu mamá?
La mataron los conquistadores hace 500 años. La extraño mucho.
¡Vamos!
Por favor, Briana. Se murió su mamá.
¡Hace 500 años!
¿Ustedes pueden guardar un secreto?
Sí. ¿Qué?
Yo soy un fantasma. Ustedes me ven pero nadie más.
Mentira.
Sí, Briana. Yo era niño cuando llegaron los conquistadores. Ya pueden imaginar lo que pasó. Yo soy Inca, hijo del Sol. Vine a Machu Picchu para escapar...

¡Briana, Kevin, Alex! ¿Qué hacen aquí?
Quipu está enseñándonos su casa.
¿Quipu? ¿Quién es Quipu?
¡Quipu! ¡Quipu!
¿Dónde está?
Vengan, tienen que explicar muchas cosas.
Seguro que fue un fantasma inca.
¿Cómo lo sabes?
¡Qué imaginación tienen estos muchachos!
No sé dónde está Quipu, pero estoy segura que está con nosotros.
¿Qué?
Nada, tío, nada.

lección

# cinco

## UNA LECCIÓN DE QUECHUA

Los tres amigos van de excursión a Cuzco, la antigua capital de los incas. Mucha gente en Cuzco habla dos idiomas, español y quechua. Mira este pequeño diccionario de quechua y ayuda a los tres amigos a conversar con Intita, una muchacha que conocen en el parque.

Briana: Hola. Me llamo Briana. ¿Cómo te llamas?
Intita: Me llamo Intita.
Briana: ¡Qué bonito nombre! ¿Qué quiere decir "Intita"?
Intita: "Pequeño Sol", en quechua.
Kevin: ¿Cómo se dice "por favor" en quechua?
Intita: Ama jina kaychu.
Alex: ¿Y cómo se dice "gracias"?
Intita: Taitacha pagasunki.
Alex: ¿Taitacha pagasunki?
Intita: Ari. "Ari" es "sí" en quechua.
Briana: El quechua es más difícil que el español.
Intita: Para mí, el quechua es más fácil que el español.
Mira, aquí vienen su mama y su taita.
Kevin: ¿Taita?
Intita: Ari. "Taita" es "papá".
Briana: No, mana, son mis tíos.

lección

# seis

## APRENDEMOS ALGO NUEVO

Alex y Kevin acaban de llegar de un juego de pelota en el parque. Esta noche van a una fiesta con Briana, pero están muy cansados y no quieren hacer nada.

—Tía, Alex no quiere lavarse. —¡Lávate, Alex!

—Tía, Kevin no quiere bañarse. —¡Báñate, Kevin!

—Tía, Alex no quiere cepillarse los dientes. —¡Cepíllate, Alex!

—Tía, Kevin no quiere vestirse. —¡Vístete, Kevin!

—Tía, Alex no quiere peinarse. —¡Péinate, Alex!

—Tía, los muchachos no quieren...

Esta noche el tío y la tía van a la ópera, pero la tía está muy cansada. La ópera empieza en una hora y la tía no está lista todavía.

| | |
|---|---|
| La tía no quiere lavarse. | —¡Lávate, mi amor! Son las seis. |
| La tía no quiere bañarse. | —¡Báñate, mi amor! Son las seis y diez. |
| La tía no quiere cepillarse los dientes. | —¡Cepíllate, mi amor! Son las seis y veinte. |
| La tía no quiere vestirse. | —¡Vístete, mi amor! Son las seis y media. |
| La tía no quiere peinarse. | —¡Péinate, mi amor! Son las seis y cuarenta. |
| La tía no quiere ir... | |

lección *siete*

APLICANDO LO QUE SABEMOS

Cada país tiene su propio dinero. Por ejemplo, en Venezuela el dinero se llama el "bolívar", igual que el libertador de Venezuela. Colombia y Bolivia usan "pesos", Ecuador tiene "sucres" y en Perú, el dinero es el "nuevo sol".

Cada vez que los tres amigos van a un país diferente, tienen que cambiar los dólares de los Estados Unidos por el dinero del país donde están. Tienen que ver la tasa de cambio en bancos y en casas de cambio. La tasa es diferente en cada lugar. Unos lugares pagan más, otros lugares pagan menos. Ahora están en Perú y tienen que cambiar sus dólares por nuevos soles. Los tres amigos tienen que seguir cuatro pasos para cambiar dinero:

1. Tienen que buscar un banco o casa de cambio.

2. Tienen que preguntar la tasa de cambio y ver si es buena.

3. Si deciden cambiar sus dólares allí, tienen que firmar los cheques de viajero.

4. Tienen que contar el dinero peruano y guardarlo en un lugar seguro.

sucre/Ecuador

peso/Colombia

peso/Bolivia

nuevo sol/Perú

bolívar/Venezuela

dólar/Estados Unidos

¿Por qué es diferente el dinero de cada país? ¿Por qué los tres amigos tienen que cambiar sus dólares por el dinero de cada país?

lección **ocho**

## VAMOS A ESCRIBIR

Briana: Pronto nos vamos de Perú.
Kevin: Es verdad. ¡Qué rápido pasa el tiempo!
Alex: ¡Qué bien lo pasamos!
Briana: Sí, tenemos que escribir lo que recordamos de Perú.
Kevin: Buena idea, pero ¿cómo?
Briana: ¿Por qué no escribimos un poema?
Alex: Pero yo no sé cómo hacer eso. ¿Cómo escribimos un poema?
Briana: Hay muchas formas de hacerlo. Vamos a divertirnos. Podemos dibujar con palabras.
Kevin: ¿Qué? Briana, tú estás loca.
Alex: Vamos a probarlo, quizás sale bien.

Briana les explica lo que tienen que hacer. Primero piensan en un dibujo o en una forma que quieren usar. Los tres amigos deciden usar una pirámide de los incas. Después piensan en una lista de palabras que dicen algo sobre Perú. Aquí está la lista que ellos usaron:

| | | | | | | |
|---|---|---|---|---|---|---|
| Machu Picchu | quechua | sol | Inti | Perú | Lima | peruano |
| ari | gallina de ají | adiós | incas | Quipu | nuevo sol | papas |
| montaña | Cuzco | Andes | andenes | mana | amigos | cóndor |

Entonces escogen las mejores palabras y hacen un borrador, escribiendo las palabras en forma de pirámide. Después, leen su poema y cambian la posición de algunas palabras que no suenan bien juntas. Luego revisan la ortografía y para terminar, escriben su poema de nuevo sin errores. Aquí está, léelo.

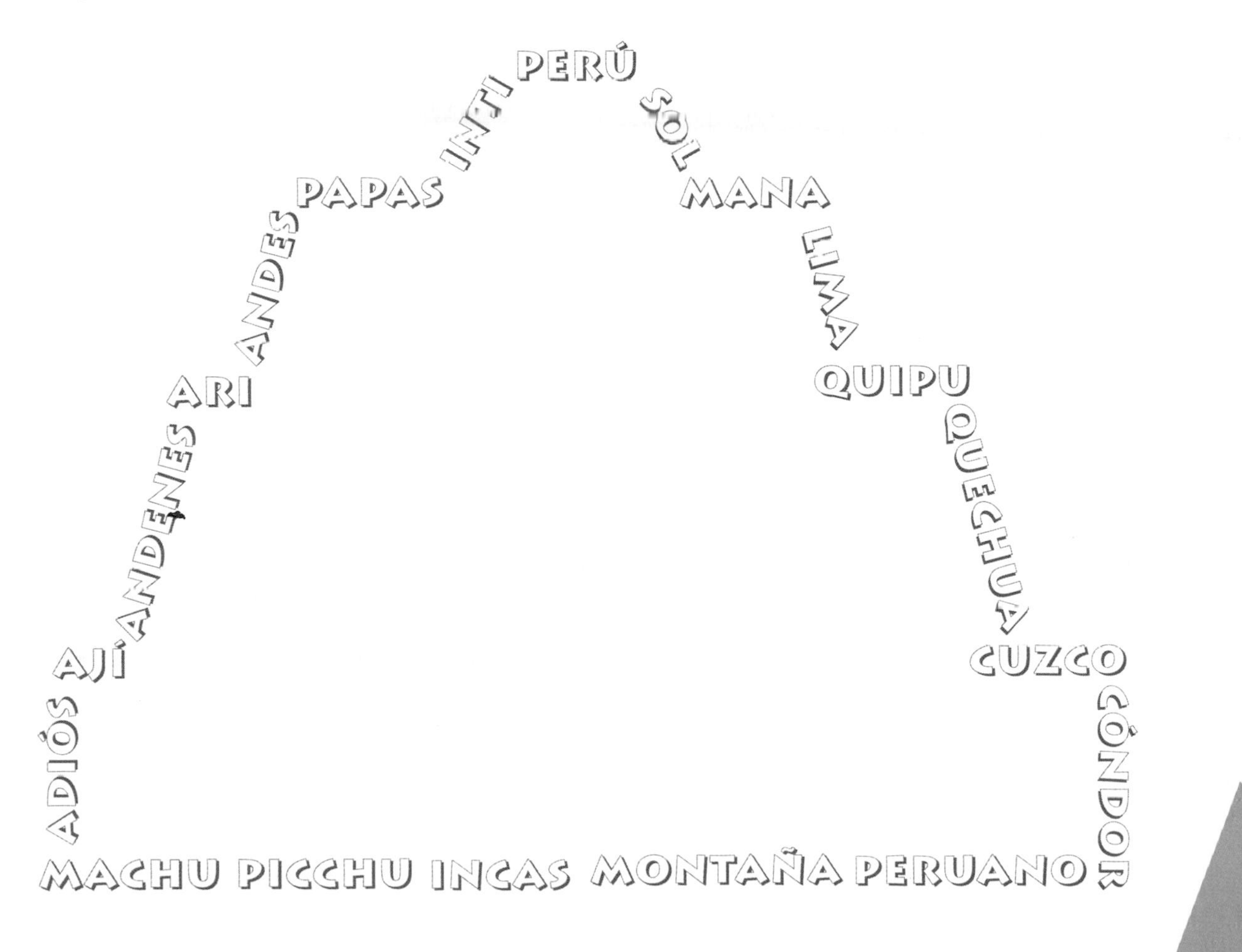

# UNIDAD CINCO 5

## UNA VISITA A BOLIVIA

La Paz, centro de reuniones del gobierno boliviano

Sucre, capital oficial de Bolivia

En Tiahuanaco existen ruinas indígenas del año 100 antes de Cristo.

lección

# uno

## Llegando a Bolivia

Los tres amigos y los tíos salen de Perú en ruta a Bolivia. Esperan pasarlo muy bien en Bolivia, igual que lo pasaron en Perú.

El avión aterriza. Todos se están bajando del avión y están pasando por la aduana.

Tío, tía. De repente me siento muy mal. Estoy enferma.
¿Qué te duele?
Me duele la cabeza y estoy mareada. También me es difícil respirar.
¡Dios mío! ¿Qué hacemos? Vamos a ver a un médico.
No se preocupen. Es el soroche.
¿El qué?
El soroche. Aquí en La Paz estamos muy alto. El soroche es una enfermedad que causa la altura.
¿Pero qué vamos a hacer? Quizás Briana necesita una aspirina, unas píldoras o un jarabe. ¡O quizás una inyección!
No, la niña debe tomar un té especial que ayuda mucho.
¿Y dura mucho esta condición?
No, un día o dos, quizás tres. Después se va a acostumbrar.
Menos mal que hay un remedio. ¡Qué susto más grande pasé!
Bueno, vamos a comprar el té para Briana. ¡Y vamos a conocer Bolivia!

lección dos

## Conocemos Bolivia

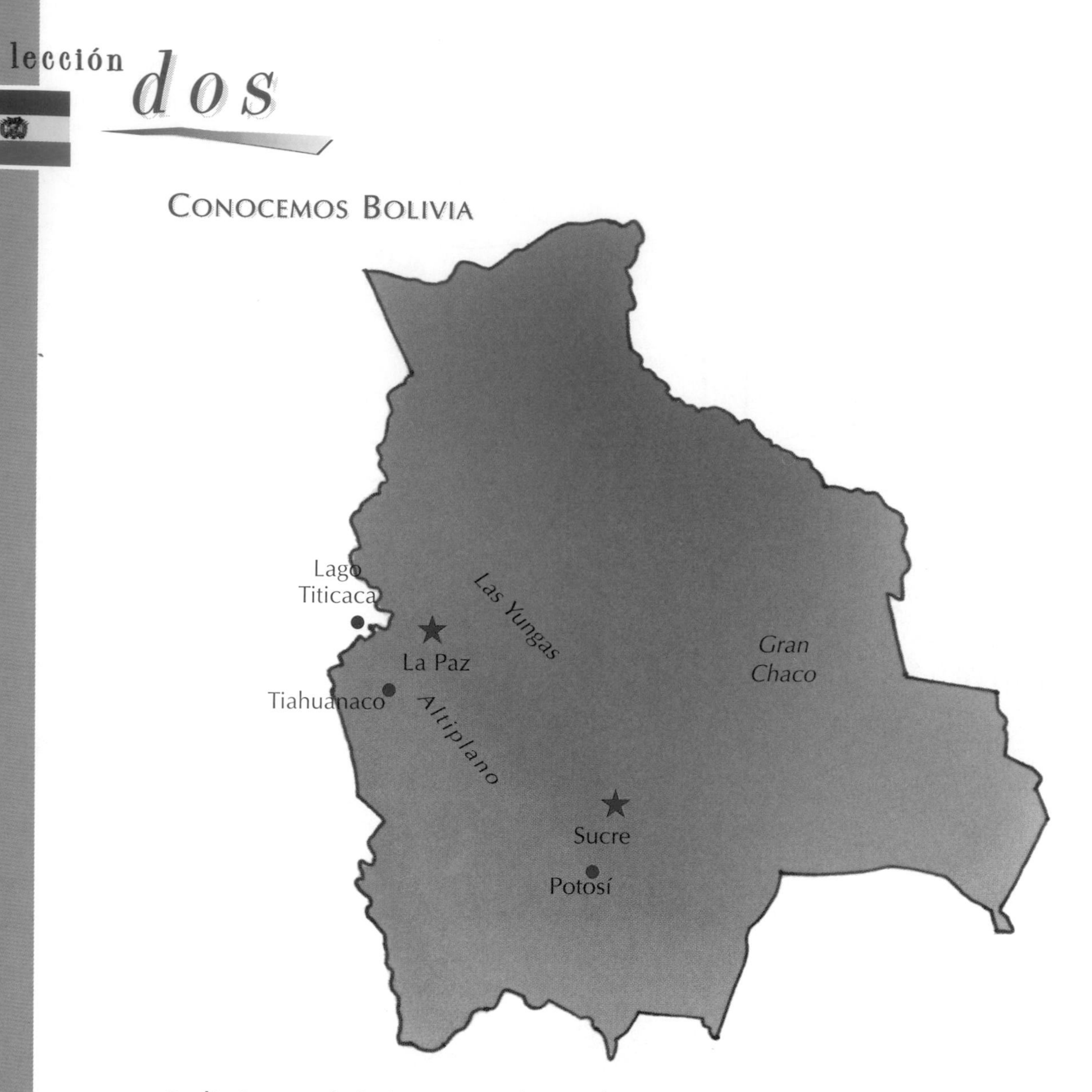


Bolivia es el único país de Sudamérica que no tiene acceso al mar. Está entre Perú, Brasil, Paraguay, Argentina y Chile.

Hay casi ocho millones de personas en Bolivia. Muchos son indios, otros son mestizos y algunos son europeos.

Bolivia es muy especial porque tiene dos capitales. La capital oficial es Sucre, pero La Paz es donde se reúne el gobierno.

El país está dividido en tres áreas principales: la primera es el altiplano central, grandes montañas donde hace mucho frío y donde no hay muchos árboles. En esta área se encuentra el lago Titicaca (en la frontera entre Perú y Bolivia), las ruinas de la antigua ciudad indígena de Tiahuanaco, y algunas de las montañas más altas de América.

En algunas partes, las montañas llegan a los 21,000 pies o 6400 metros.

Las "yungas" son tierras intermedias muy fértiles entre el altiplano y los llanos, donde crecen café, bananas y otros productos.

Los llanos, en la parte este y noreste del país, son calientes y secos. A esta región se le llama el Gran Chaco.

En el tiempo de los españoles, Bolivia fue el principal productor de plata del mundo. La ciudad de Potosí fue un gran centro de riquezas. Pero hoy Bolivia es mayormente un país minero. Entre los principales productos de exportación se encuentran el estaño, el plomo, el petróleo y el gas natural.

Dos héroes nacionales son Simón Bolívar y Antonio José de Sucre. Ellos liberaron al país de los españoles en 1825. De hecho, Bolivia tomó su nombre de su héroe, Simón Bolívar.

Algunas comidas típicas bolivianas son la quínoa (un grano), la oca (un vegetal como la papa), la salteña (una empanada de carne, verduras y salsa), el chairo (una sopa) y la marraqueta (un pan típico de La Paz).

Bolivia es un país muy interesante. Vale la pena conocerlo.

Simón Bolívar y Antonio José de Sucre

## Una excursión por Bolivia

Los tres amigos salen del hotel a dar una vuelta por La Paz. En una plaza pequeña conversan con un muchacho joven. Se llama Julio, y conoce muy bien la ciudad y el país. Julio se ofrece a los tres como guía. Los aventureros están encantados. Ya tienen un amigo nuevo y van a ver y a hacer cosas nuevas.

Son las nueve de la mañana y ya es hora de comenzar. La excursión empieza en La Paz. Briana quiere comprar un suéter porque hace un poco de frío. Julio los lleva al Mercado Artesanal. Briana compra un suéter y un chal blanco muy bonito. Alex y Kevin compran ponchos y chullos (gorras). El suéter, los ponchos y las gorras están hechos de lana de alpaca. ¡Qué ropa más calientita!

Después, como hoy es sábado, pasan por la iglesia de San Francisco. Hay una boda y hay un desfile largo. La novia lleva muchas polleras (faldas), un sombrero y un chal blanco. El novio lleva un traje y carga una bandera. También, hay una orquesta de 10 personas. ¡Qué boda más increíble!

Son las once. Ya es hora de regresar al hotel. Recogen a los tíos y todos juntos salen de la Paz en tren hacia Las Yungas. Ya no necesitan sus ponchos y suéteres. Hace calor y todo está verde y bonito. ¡Qué belleza y qué bananas más ricas!

Siguen hasta la ciudad antigua de Potosí. Aquí visitan el Cerro Rico, de donde los conquistadores sacaron plata.

¡Qué ciudad más rica fue Potosí!

Ahora van a visitar Tiahuanaco, cerca del lago Titicaca. Aquí hay muchas ruinas indígenas del año 100 A.C. Ven partes de unas casas de piedra decoradas con animales y figuras geométricas. ¡Qué ruinas más impresionantes!

Están bien cansados y ya es hora de regresar a La Paz, pero Julio tiene una idea más. ¿Qué es? En la Lección 4 lo vas a saber. La aventura continúa...

lección

# cuatro

¡Qué aventura!

Julio sabe que un viaje a Bolivia no está completo sin ver el lago Titicaca. Julio es un indio aymará y su familia vive en la isla Suriquí en el lago Titicaca. Él habla con los tres aventureros y les explica su idea.

| | |
|---|---|
| Julio: | Niños, ¿quieren hacer algo muy típico e interesante? |
| Kevin: | ¡Claro que sí! ¿Qué es? |
| Julio: | Es un viaje al lago Titicaca. Allí vive mi familia. Seguro que van a querer conocerlos a ustedes. |
| Briana: | ¡Sí, vamos! Leí que el lago Titicaca es el más grande de Sudamérica y el más alto del mundo. Y lo vimos desde la ventana del avión. Tío, tía, ¿podemos ir? |
| Tío: | Claro, seguro que lo van a pasar bien. |

Todos se fueron a la isla Suriquí, donde vive la familia de Julio.

Papá de Julio: ¡Bienvenidos! ¿Vinieron a trabajar en las balsas de totora? La carrera es la semana que viene.

Alex: ¿Qué carrera?

Julio: Cada año en agosto hacemos balsas o botes de totora y tenemos una carrera. El año pasado ganó mi papá.

Briana: ¡Sí, yo quiero participar!

Alex: ¡Yo también!

Kevin: ¡Y no se olviden de mí!

Julio: Por favor, papá, déjalos participar. Estos tres norteamericanos son aventureros.

Papá: Está bien, pero hay que trabajar y terminar las balsas y tienen que ser muy valientes.

Briana: Somos valientes, bien valientes.

Papá: (*riéndose*) Vamos a ver, mi hijita. Vamos a ver...

¡Bienvenidos! ¿Vinieron a trabajar en las balsas de totora? La carrera es la semana que viene.

Todos trabajaron en las balsas y por fin llegó el día de la carrera. Los tres amigos montaron en una balsa y Julio y su papá en otra. ¡En sus marcas—listos—FUERA! La carrera empezó.

El viento soplaba fuerte. ¡Qué difícil era navegar la balsa! El bote se fue hacia la izquierda, después hacia la derecha y casi se cayó, pero los aventureros siguieron.

Alex: ¿Qué podemos hacer?

Briana: Creo que tengo una idea. Alex, sigue remando. Kevin, ayúdame. Dame tu remo.

Kevin: ¿Qué vas a hacer?

Briana: Una vela, necesitamos una vela. Saca el chal de mi bolso y aguanta bien el remo.

Briana y Kevin trabajaron rápidamente. Ataron el chal al remo de Kevin e hicieron una vela.

Briana: Kevin, tú y yo tenemos que aguantar este remo. Ahora tenemos un barco de vela.

Con la ayuda de la vela, los tres amigos ganaron la carrera. Los aventureros se pusieron muy contentos. ¡Qué increíble! ¡Tres niños norteamericanos ganaron la carrera! Nunca en la historia de la isla pasó algo así.

| | |
|---|---|
| Papá: | De verdad que ustedes son valientes e inteligentes también. ¿Quién pensó en la vela? |
| Julio: | Quizás fue Briana, ¿verdad? Ella siempre tiene grandes ideas. |
| Papá: | Yo también tengo una gran idea. Quédense hasta la semana que viene. |
| Alex: | ¿Por qué? |
| Papá: | Hay otra carrera. Hay que cubrirse el cuerpo de grasa y cruzar el lago nadando. El agua está a unos 10° Centígrados (51°F). ¿Qué dicen? |
| Briana: | Gracias, pero mejor no. |

lección **cinco**

¿QUÉ VAMOS A HACER?

Alex, Kevin y Briana están en el hotel. Está lloviendo y no saben qué hacer. Empiezan a conversar.

| | |
|---|---|
| Briana: | Estoy aburrida. No me importa la lluvia. Salgo de compras ahora. |
| Alex: | ¡No, no salgas sola! Ahora vienen los tíos. ¿Qué quieres comprar? |
| Briana: | Comida. O si quieres, como algo aquí. |
| Kevin: | ¡No, no comas nada! Te vas a poner gorda. |
| Briana: | Pues, entonces llamo a Julio por teléfono. |
| Alex: | ¡No, no llames a nadie! ¿Por qué siempre tienes que hacer algo? |

| | |
|---|---|
| Briana: | Porque soy así. Si prefieres escucho música... y déjame en paz. |
| Kevin: | ¡No, no escuches música ahora! Quiero dormir. |
| Briana: | ¿Quieres dormir? Entonces bebo té. ¿O eso hace mucho ruido? |
| Alex: | ¡No, no bebas nada! Siempre estás tomando algo. |
| Briana: | Bueno, pues escribo en mi diario, y no me digan nada más. |
| Kevin: | ¡No, no escribas ahora! |
| Briana: | ¡No, no, no, no, no! ¿Qué les pasa a ustedes? ¿Están locos? |
| Alex: | ¡Ja, ja, ja! Es que hablamos con Julio y viene a buscarnos. Vamos a comer y a beber algo y después vamos a escuchar música. |
| Briana: | ¿Y por qué no me lo dijeron antes? Ahora estoy enojada con ustedes y no voy a salir. |
| Kevin: | Sí, ven con nosotros, Brianita. Fue sólo una broma. Llevamos paraguas y vamos a hacer de todo, pero juntos. Somos inseparables. ¿Verdad? |

# lección seis

## Aprendemos algo nuevo

| | |
|---|---|
| Alex: | Julio, ¿quieres jugar un juego norteamericano? Se llama "Simón dice". |
| Julio: | Bueno, está bien. |
| Kevin: | Buena idea, Alex. Nosotros a veces jugamos este juego en la clase de español. |
| Julio: | ¿Cómo se juega? |
| Alex: | Voy a mandarte a hacer algo. Si digo "Simón dice", tú pretendes hacerlo. Si no digo "Simón dice", no haces nada. ¿Entiendes? |
| Julio: | Creo que sí. |
| Alex: | Vamos a practicar. Briana y Kevin, siéntense y no jueguen ahora. Primero quiero practicar con Julio. |
| Briana y Kevin: | Está bien, pero no dijiste "Simón dice". |

Alex: Ja, Ja. Ahora, Simón dice: ¡Ríete!

*Julio se ríe.*

Alex: Simón dice: ¡No te rías!

*Julio para de reírse.*

Alex: Simón dice: ¡Lávate las manos!

*Julio pretende lavarse las manos.*

Alex: ¡No te laves las manos!

*Julio deja de lavarse las manos.*

Alex: Simón dice: ¡Cepíllate los dientes!

*Julio pretende cepillarse los dientes.*

Alex: ¡No te cepilles!

*Julio deja de cepillarse los dientes.*

Kevin: ¡Ay, Julio! Tú eres un buen jugador.

Alex: Ahora, vamos a jugar todos.

Julio: Alex, espera. Tengo una pregunta.

Alex: ¿Cuál es?

Julio: ¿Quién es Simón? ¡No lo conozco!

¿Quién es Simón? ¡No lo conozco!

lección **siete**

LA MÚSICA EN SUDAMÉRICA

En Bolivia y en toda Sudamérica hay muchos festivales y fiestas. Cada pueblo celebra el día de su santo patrono, hay fiestas familiares, como bodas y bautismos, los grupos indígenas celebran sus cosechas y también hay días de fiesta nacional, como por ejemplo, el Día de la Independencia.

Algo importante en todas las fiestas y festivales es la música. Algunas veces la música es rápida y alegre y otras veces suena triste.

De todos modos, la música sudamericana es bonita y es una parte importante de la cultura. Es una mezcla de tres continentes: América, África y Europa. Los tambores vienen de África, las flautas son de origen indígena y la guitarra es de Europa.

Éstos son algunos de los instrumentos que se tocan en Sudamérica:

la quena

la flauta

el charango

la guitarra

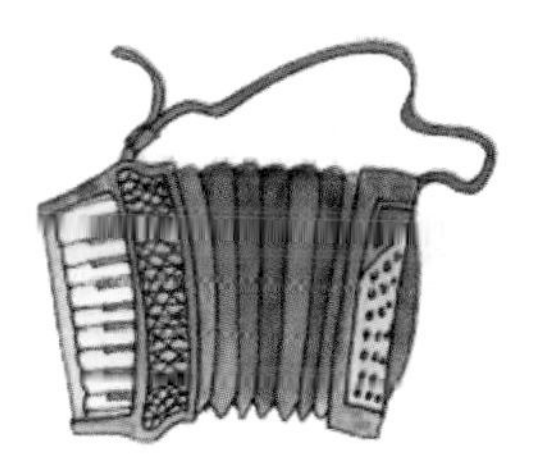

el acordeón

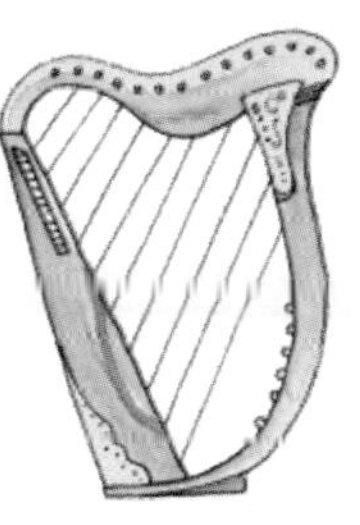

el arpa

el tambor

las maracas

la pandereta

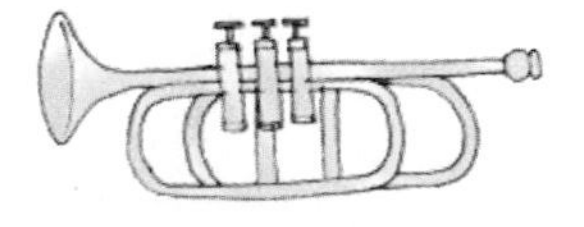

la trompeta

## Vamos a escribir

—Alex, Kevin, vamos a escribir una canción —dijo Briana.
—Briana, a veces creo que estás bien loca. ¡Una canción! ¿Qué sabemos nosotros de escribir canciones? —comentó Kevin.
—Piensa un poco. Es como un poema pero con música. Eso es todo —dijo Briana.
—Bueno, vamos a probarlo. ¿Por qué no? —añadió Alex.

Así que los tres amigos empezaron a escribir una canción. Primero tuvieron que pensar en un tema. Eso fue fácil. Empezaron a hablar de Bolivia y de sus aventuras y en seguida los tres pensaron en su buen amigo, Julio. ¡Qué manera más buena de despedirse de este gran compañero!

Briana escribió la primera línea. Ella escribió *Un amigo inolvidable*. Alex pensó: —¿Qué palabra rima con *inolvidable*? Se le ocurrió una, *amable*, y Kevin escribió la línea *tan bueno y amable.*

Siguieron trabajando juntos y escribieron un borrador. Alex leyó la canción y le preguntó a Briana y a Kevin si todo estaba bien. Ellos dijeron que sí. Después, Kevin editó el trabajo. Él revisó la ortografía y puso unos puntos y comas. Por fin, él escribió la canción otra vez sin errores.

Aquí esta:

Un amigo inolvidable
tan bueno y amable.
Contigo cosas aprendemos
Julio, te queremos.
Hasta luego decimos
Pronto nos escribimos.
Adiós, compañero, adiós.

Los tres amigos inventaron una melodía simple y más tarde se encontraron con Julio. Le cantaron la canción nueva. Después, entre besos, abrazos y lágrimas, se despidieron. ¡Qué difícil es decir adiós!

# UNIDAD SEIS 6

## UNA VISITA A CHILE

El centro de Santiago, Chile

¡En el carnaval de esquí!

Una fiesta huasa en San Bernando

lección *uno*

## Llegando a Chile

Los tres amigos y los tíos están saliendo de Bolivia en ruta a Chile. Están tristes porque no sólo dejan el país de Bolivia, sino que dejan también a un gran amigo, Julio. Pero están emocionados porque van a viajar en un ferrobús.

| | |
|---|---|
| Alex: | No puedo creer que estamos en un ferrobús. |
| Kevin: | Sí, ¡qué medio de transporte más divertido! |
| Briana: | Es verdad. Tío, ¿un ferrobús es un autobús o un tren? |
| Tío: | Bueno, es un autobús que viaja sobre vías, como un tren. |
| Kevin: | ¿Y a qué ciudad de Chile nos lleva este ferrobús? |
| Tío: | Este ferrobús viaja entre La Paz, Bolivia y Arica, Chile. |
| Alex: | ¿Es largo el viaje? ¿Cuántas horas tardamos en llegar? |
| Tía: | Es largo, tarda once horas. |
| Los tres amigos: | ¡Once horas! |
| Tía: | Sé que parece mucho, pero es un viaje agradable y cómodo. |
| Tío: | También dicen que el paisaje es bello. |
| Kevin: | Bueno, vamos a ver... |
| Alex: | Briana, ¿qué tienes ahí? ¿Qué es ese paquete? |
| Briana: | Es un regalo de Julio. Es para todos nosotros. Me lo dio el otro día, pero me dijo que no podíamos abrirlo antes de llegar al ferrobús. |

Kevin: ¡Ábrelo! Quiero ver qué es.

Briana: Espera, recuerda que la paciencia es una virtud.

Kevin: Briana, ¡no me tomes el pelo! ¡Ábrelo!

Briana: Está bien, está bien. (*Briana abre el regalo*) ¡Ay, qué bueno!

Alex: ¿Qué es?

Briana: Son unas tarjetas sobre Chile. ¡Mira qué bonitas e interesantes son! Podemos estudiarlas y aprender mucho sobre Chile.

Alex: Está bien, tenemos once horas.



Los tres amigos estudian y leen las tarjetas. Aprenden que hay muchas cosas que ver y hacer en Chile. Once horas más tarde llegan a Arica y pasan por la aduana.

Oficial de la aduana: Pasaportes por favor. (*Sellando los pasaportes*) ¡Bienvenidos a Chile! ¿Qué piensan hacer en Arica?

Los tres amigos: ¡Vamos a la playa!

Tía: ¿La playa?

Kevin: Leímos en las tarjetas de Julio que aquí hay una playa increíble y que la temperatura nunca baja de los 19°C (66°F) y que el agua siempre está caliente y...

Tío: Estoy convencido, ¡vamos!

lección **dos**

## Conocemos Chile

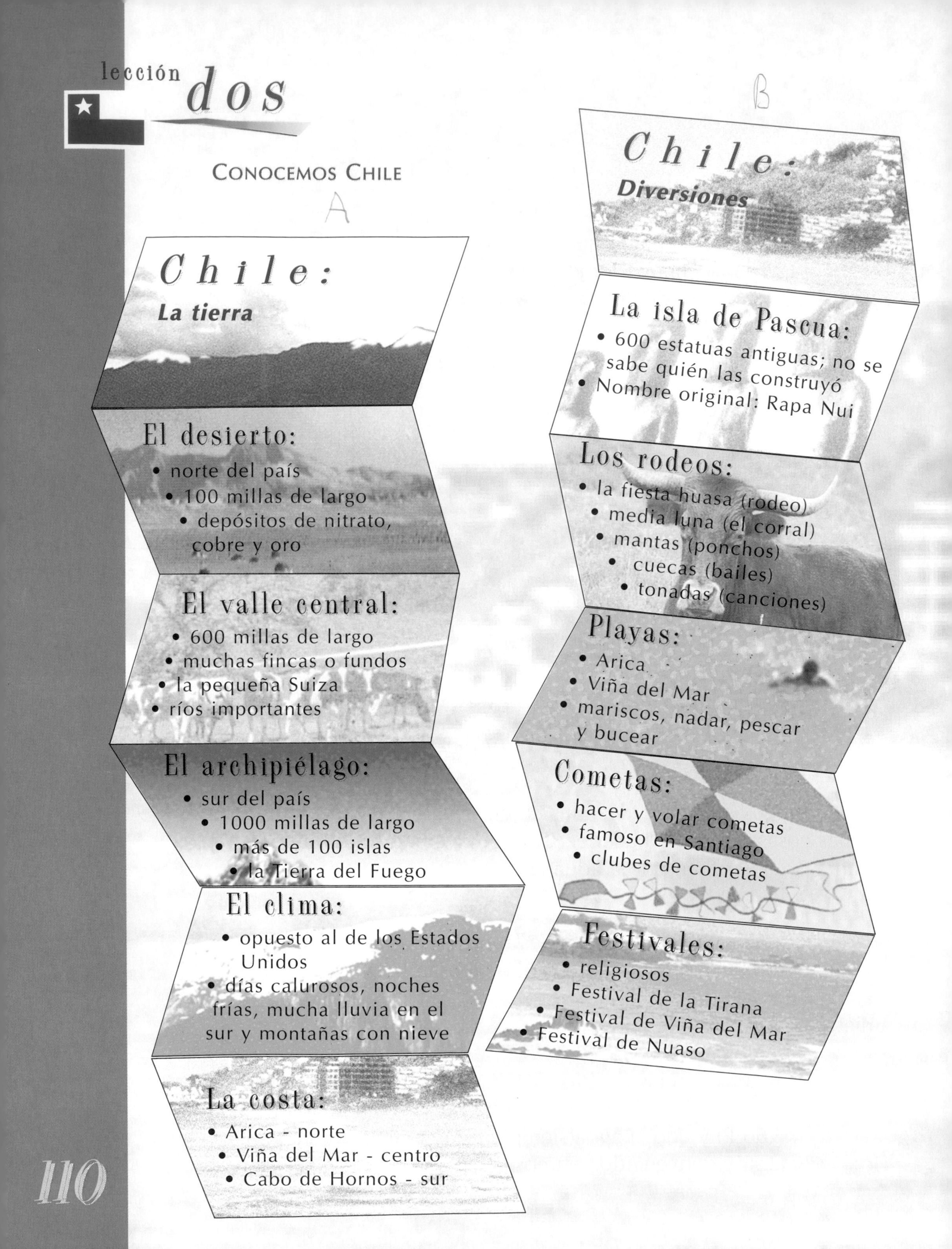

# Chile:

## La historia

**1400**

- incas de Perú llegaron a Chile

**1520**

- Magallanes pasó por Tierra del fuego

**1541**

- Pedro de Valdivia fundó la ciudad de Santiago

**1818**

- se celebra la independencia de Chile
- Bernardo O'Higgins es el padre de la independencia

**1833**

- guerra civil

# lección tres

## ¿Qué vamos a hacer?

¡Hay tantas cosas que hacer en Chile! Los tres amigos no pueden escoger entre tantos lugares fascinantes. El tío les pidió a los muchachos una lista de sus lugares favoritos.

Después de una hora, los muchachos entregaron esta lista al tío.

Primero- Santiago
Segundo- Tierra del Fuego
Tercero- Viña del Mar
Cuarto- La isla de Pascua
Quinto- Una fiesta huasa
Sexto- Hacer volar cometas
Séptimo- Esquiar en Portillo
Octavo- Montaña: Ojos del Salado
Noveno- Volcán Villarrica
Décimo- El Festival de la Tirana

—Esperen niños, no podemos hacer todo en un viaje. Cada uno escoge un lugar.

—Yo primero —dijo Briana—. Yo quiero hacer volar cometas. Dicen que todos los santiaguinos: trabajadores, maestros o médicos, hacen volar cometas, y que es difícil saber cuál es de quién.

—Ahora me toca a mí —dijo Kevin—. Yo quiero ir al rodeo, o "fiesta huasa", como dicen los chilenos. Cada pueblo en Chile tiene su propia fiesta huasa en los corrales, que se llaman "medias lunas". Los vaqueros se visten de huasos, con un sombrero y mantas arriba del pantalón. Los vaqueros montan a caballo y tratan de controlar al toro. El que mejor lo hace, gana. Y no, Briana, en Chile la fiesta vaquera no tiene "vaqueras", todavía.

—Por fin me toca a mí —dijo Alex—. Yo quiero viajar a la isla de Pascua, que tiene una historia muy misteriosa. Y saben que a mí me gustan los misterios. En esa isla viven más o menos 2500 personas. Los habitantes originales son polinesios, y ellos llaman a la isla por su nombre original, Rapa Nui. La isla de Pascua tiene más de 600 figuras de piedra grabadas en forma de cabezas muy largas. La estatua más bajita es de 2 metros y la más alta de 20 metros y cada una pesa más de una tonelada. El misterio es cómo fueron grabadas estas piedras y cómo las transportaron a la isla. Yo quiero hacer mis propias investigaciones, ¿me ayudan?

—Claro —dijeron Briana y Kevin a la vez.

—Claro que vamos a ver —dijo el tío.

lección **cuatro**

## ¡Qué aventura!

Los tres amigos y los tíos llegaron al centro turístico de Portillo, donde hay un carnaval de esquí.

Alex: No puedo creer que estamos en el mes de agosto y aquí hay nieve y vamos a esquiar.

Briana: Parece mentira, pero recuerda que estamos debajo del ecuador, en el hemisferio sur.

Kevin: Sí, las estaciones del año son al revés aquí. Mientras en los Estados Unidos hace calorcito y todo el mundo lleva pantalones cortos, aquí hace frío y mira como voy, ¡con chaqueta, guantes, gorrita y botas!

Alex: El mundo es increíble. Más tarde tendremos que sacar unas fotos para mandar a nuestros padres; no lo van a creer.

Briana: Bien, pero ahora vamos a esquiar, ¿no? Tío, tía, ¿quieren acompañarnos?

Tía: Gracias, pero yo prefiero patinar. Quiero patinar en la laguna del Inca.

Tío: Y yo tengo mucho trabajo, perdónenme. En tres días tengo que dar una presentación importante en la conferencia de negocios que hay en Santiago. Mejor me quedo aquí trabajando en el hotel, al lado de la chimenea.

Los niños se fueron a esquiar. Pasaron dos días enteritos subiendo y bajando las cuestas. Exploraron las montañas, vieron los paisajes y el famoso monumento, el inmenso Cristo de los Andes.
¡Qué bien lo pasaron!

En la noche del segundo día vino a hablarles el tío al vestíbulo del hotel.

Tío: Niños, preparen sus maletas. Mañana nos vamos, la conferencia me espera.

Recepcionista: No creo que van a poder viajar mañana.

Tío: (*confundido*) ¿Por qué no? Es importante.

Recep.: Mire cómo está nevando. Esto pasa a menudo. Cuando nieva mucho nadie puede entrar ni salir de aquí. Una vez pasamos veinte días sin salir de aquí.

Tío: ¡No puede ser! La conferencia de Santiago es la más importante de mi viaje a Sudamérica.
¿Qué voy a hacer?

El tío se fue preocupado y triste y los tres amigos se pusieron a buscar una solución. Por fin, Briana tuvo una idea.

Briana: Vamos a ver al dueño del hotel.
Alex: ¿Por qué?
Briana: Tengo una idea, vamos a darle una sorpresa al tío.

Los tres amigos hablaron con el dueño. Él escuchó su plan e hizo unas llamadas. Después fue a verlos.

Dueño: Niños, todo está listo para mañana tempranito, a las ocho. Díganle a su tía que prepare la maleta de su tío y duerman tranquilos. Buenas noches.

Por la mañana, todos estaban desayunando en el hotel cuando escucharon un ruido fuerte.

Tío: ¿Qué es eso?

Briana: ¡Adiós tío, buen viaje!

Tío: ¿Qué dices, Briana? ¿Adiós? ¿No recuerdas que no podemos salir de aquí?

Tía: Sí se puede. Los niños hicieron arreglos para alquilar un helicóptero. Apúrate, tu maleta está lista en la habitación. Ve a la conferencia y cuando pare de nevar nos reuniremos en Santiago.

Tío: (*Entre besitos y abrazos*) Ustedes son nada más y nada menos que tres pequeños héroes. ¡Gracias!

## Hablamos de Chile

### Una fiesta huasa en San Bernardo

| | |
|---|---|
| Instructor: | Para ser huaso, tienes que vivir como huaso. |
| Kevin: | Vamos. Yo quiero ser huaso. |
| Instructor: | Primero, repitan ¡ki, ki, ki, ki, yip, yip! |
| Los tres: | ¡Ki, ki, ki, ki, yip, yip! |
| Alex: | ¿Estamos hablando quechua? |
| Instructor: | No, así gritan los huasos cuando están en la media luna, o sea, el corral. Ahora, móntense en los caballos. Levántense bien y siéntense encima del caballo. |
| Kevin: | ¿Y dónde está la vaca? |
| Instructor: | Espérate. Ni siquiera los chilenos aprenden todo en un día. |
| Briana: | Además, no son vacas, son toros. |
| Instructor: | Den dos o tres vueltas por el corral y después párense aquí. |

Después de unas vueltas, los tres se paran.

Instructor: Muy bien, sólo les faltan la manta y un sombrero huaso para ser huasos verdaderos. ¿Qué les parece?

Kevin: Magnífico. ¿Pero dónde está la vaca?

Briana: Ya te dije que no son vacas, y te lo digo desde ahora, yo no voy a pegarle a un pobre toro con este caballo.

Alex: Ves, por eso no dejan a las mujeres ser huasas.

Briana: En los Estados Unidos las mujeres sí participan en los rodeos.

Instructor: Pues en Chile, las costumbres están cambiando. Pronto van a ver mujeres en la media luna, pero por el momento, bájense y báñense muchachitos, que están muy sucios.

## Un paseo por la isla de Pascua

Briana: ¡Qué isla tan misteriosa!
Alex: Para mí la isla es... curiosa. Miren las estatuas. ¡Qué raras!
Kevin: Fíjense. Nadie sabe cómo llegaron estas estatuas a la isla.
Briana: Son enormes. Miren las cabezas.
Alex: Y las orejas, ¡qué largas!
Briana: El capitán del barco me dijo que tardaron años en grabar una estatua mediana. Y miren. Hay unas que miden más de 20 metros.
Kevin: ¡Wow! ¡Como un edificio de 7 pisos!
Alex: (*Hablando con una pareja de turistas*) ¿Pueden sacarnos una foto, por favor? Queremos mandar fotos a nuestros padres.
Hombre: Les saco la foto, pero desde aquí, ustedes parecen unas hormigas al lado de la estatua.
Briana: Mejor así. Si no, nadie va creer que estas estatuas son tan enormes.
Mujer: ¡Sonrían!
Alex: Gracias. ¡Que les vaya bien!
Hombre: Cuídense. Y recuerden... a medianoche las estatuas empiezan a a..., olvídenlo.
Briana: ¿Empiezan a qué?
Mujer: Nada...

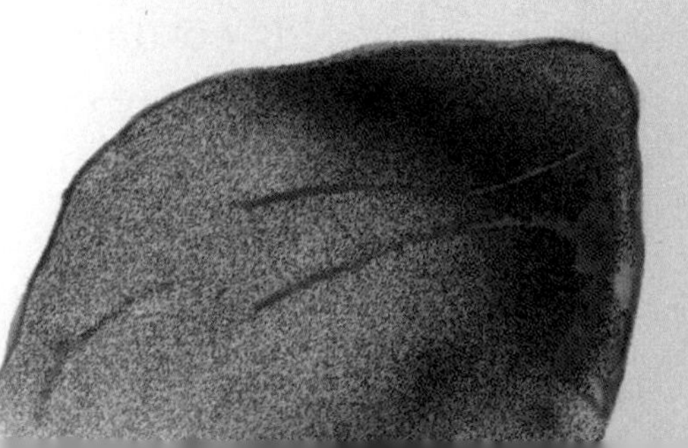

¡Sonrían!

APRENDEMOS ALGO NUEVO

Los tres amigos siempre están juntos — mañana, tarde y noche. Juegan juntos, comen juntos y se ríen juntos. Pero los tres amigos son diferentes.

EN LOS DEPORTES...

Alex corre más rápido que Briana, y Kevin patea la pelota más fuerte que Alex.

EN LA ESCUELA...

Briana es más inteligente que los muchachos. Kevin es más popular que Alex con las muchachas.

EN LAS DIVERSIONES...

Para Alex el cine es menos interesante que los museos, y para Briana y Kevin los parques son menos divertidos que las playas.

Sin embargo, los tres están de acuerdo sobre su viaje a Sudamérica...

| | |
|---|---|
| Alex: | Perú es más interesante que... |
| Briana: | Colombia es más bonito que... |
| Kevin: | Chile es menos pintoresco que... |
| Alex: | Venezuela es menos divertido que... |
| Briana: | Es que todos los países son interesantes, pintorescos y divertidos. ¡Es difícil compararlos! |

lección

# siete

## Aplicando lo que sabemos

| | |
|---|---|
| Alex: | Aquí hay muchas tiendas. ¿Qué compramos? |
| Briana: | Vamos a la librería, quiero comprar unos libros en español. |
| Kevin: | ¡Buena idea! Quizás hay un libro que habla de Uruguay, nuestro próximo destino. |
| Alex: | Es verdad, vamos. |

Los tres amigos entran en la librería.

| | |
|---|---|
| Empleado: | ¿Qué desean ustedes? |
| Briana: | Yo estoy buscando la sección de literatura sudamericana para niños. |
| Kevin: | Y yo quiero un libro sobre el país de Uruguay. |
| Empleado: | Muy bien. Las dos secciones están al fondo a mano derecha. |
| Los tres: | ¡Gracias! |

Kevin y Alex encontraron un buen libro sobre Uruguay y Briana encontró algo muy interesante también.

| | |
|---|---|
| Briana: | ¡Miren! Aquí hay un libro de poesía. El título es *350 poesías para niños.* |
| Kevin: | ¡350! ¿No hay uno con sólo 10? ¡Ja, ja, ja! |

Briana: ¡Qué gracioso es Kevin...! Mira, aquí hay un poema bello. Es de una maestra chilena. La introducción dice que ella es famosa y que ganó el premio Nobel de literatura.

Alex: ¿Cómo se llama la poetisa?

Briana: Se llama Gabriela Mistral. ¿No se acuerdan que vimos una gran muralla construida en su honor aquí en Santiago?

Alex: Sí, me acuerdo.

Briana: ¿Quieren leer el poema conmigo?

Kevin: Sí, después, pero primero vamos a comprar los libros.

Los tres amigos compraron los libros, salieron de la tienda y se sentaron juntos en un banco a leer el poema. Ahora tú también puedes leerlo.

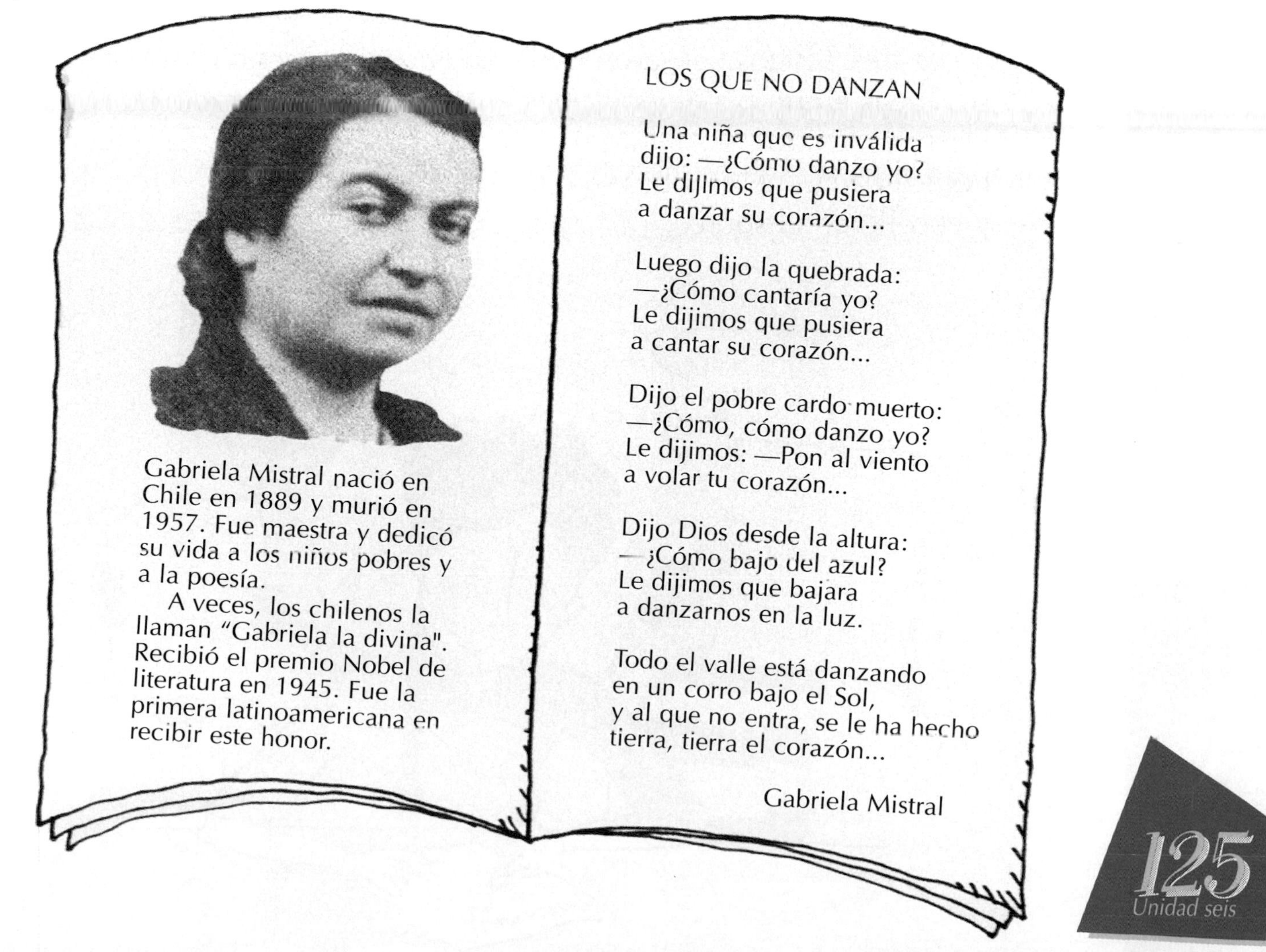

Gabriela Mistral nació en Chile en 1889 y murió en 1957. Fue maestra y dedicó su vida a los niños pobres y a la poesía.

A veces, los chilenos la llaman "Gabriela la divina". Recibió el premio Nobel de literatura en 1945. Fue la primera latinoamericana en recibir este honor.

LOS QUE NO DANZAN

Una niña que es inválida<br>
dijo: —¿Cómo danzo yo?<br>
Le dijimos que pusiera<br>
a danzar su corazón...

Luego dijo la quebrada:<br>
—¿Cómo cantaría yo?<br>
Le dijimos que pusiera<br>
a cantar su corazón...

Dijo el pobre cardo muerto:<br>
—¿Cómo, cómo danzo yo?<br>
Le dijimos: —Pon al viento<br>
a volar tu corazón...

Dijo Dios desde la altura:<br>
—¿Cómo bajo del azul?<br>
Le dijimos que bajara<br>
a danzarnos en la luz.

Todo el valle está danzando<br>
en un corro bajo el Sol,<br>
y al que no entra, se le ha hecho<br>
tierra, tierra el corazón...

Gabriela Mistral

lección *ocho*

VAMOS A ESCRIBIR

| | |
|---|---|
| Briana: | ¿Vamos a escribirles una carta a nuestros padres? |
| Kevin: | Buena idea, tengo muchas cosas que contarles. |
| Alex: | Yo también, y quiero mandar fotos. |
| Kevin: | Antes escribimos tarjetas postales. ¿Escribir una carta es igual que escribir una tarjeta postal? |
| Briana: | Es más o menos lo mismo. Una carta es más larga, pero lleva las mismas partes: la fecha, un saludo, un mensaje, una despedida y tu firma. Las diferencias son que el mensaje en una carta puede ser más largo y también que se pone dentro de un sobre. En el sobre hay que poner la dirección a donde va, la dirección tuya y un sello. Yo tengo papel. ¿Quieren practicar? |
| Alex y Kevin: | Bueno, está bien. |

Los tres amigos pensaron en lo que querían escribir. Apuntaron sus ideas en un papel y después escribieron sus borradores. Después leyeron sus cartas y revisaron las oraciones y la ortografía. Por fin cada uno escribió su carta de nuevo y puso las direcciones y el sello en el sobre.

Ésta es la carta de Briana; léela:

3 de Agosto

Querida mamá:

Estamos en Chile, un país bello e interesante. Siempre estamos haciendo algo. Hay muchas cosas que hacer. Fuimos a la playa de Arica y nos divertimos mucho. Esquiamos en los Andes, volamos cometas en Santiago, asistimos a un rodeo y viajamos a la isla de Pascua. ¡Allí hay unas 600 estatuas de piedra muy impresionantes! Estamos bien todos, Kevin, Alex, los tíos y yo. Te mando unas fotos. Pronto nos vamos a Uruguay. Te echo de menos y te quiero mucho.

Con mucho cariño,

Brianita

P.D. ¿Cómo está Fuzzy? ¡Escríbeme pronto!

*Señorita Briana Peterson*
*Hotel Paraíso*
*Santiago de Chile*

*Señora Linda Peterson*
*420 Peachtree Rd.*
*Miami, Florida*
*Estados Unidos*

POR
AVIÓN

# UNIDAD SIETE 7

# LLEGANDO A PARAGUAY Y A URUGUAY

Una vista del centro de Asunción, Paraguay

¡Cuantos lugares bellos para admirar!

Punta del este es una de las playas más populares de Uruguay.

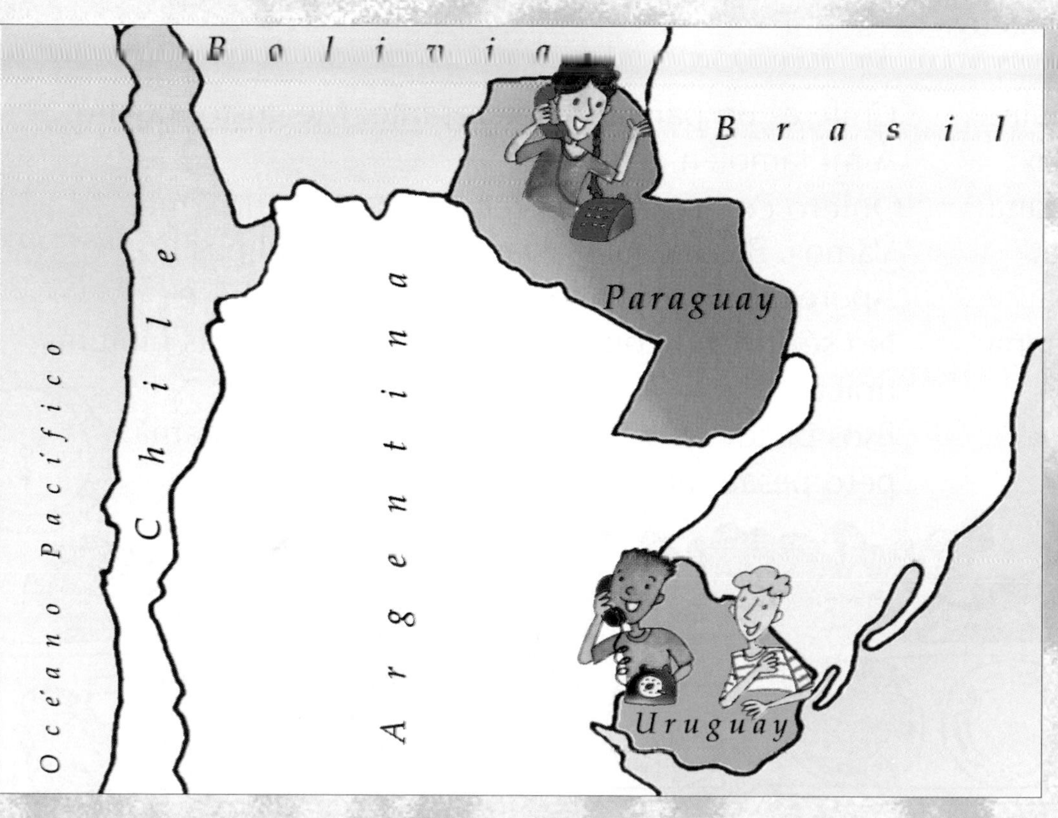


¡Qué aventura!

lección **uno**

## LLEGANDO A PARAGUAY Y A URUGUAY

Los muchachos y los tíos están en el aeropuerto de Santiago de Chile. Están esperando por el avión que los va a llevar a Uruguay.

Kevin: Chile es un país muy interesante. Me gustó mucho.
Alex: A mí también.
Briana: Quiero comprar algún recuerdo antes de irme.
Tía: Vamos, Briana. Hay unas tiendas por el pasillo.
Tío: Apúrense. El avión se va en seguida.
Briana: No sé si debo comprar una camiseta o unas pinturas típicas.
Tía: Esos platos de barro están lindos para tu mamá, pero pesan mucho. Mira esto, Brianita...

Altavoz: Pasajeros del vuelo 640 con destino a Uruguay, favor de abordar por la puerta 4B.

Alex: ¿Dónde están Briana y la tía?

Tío: Ahora vienen, no te preocupes. Vamos nosotros ahora para ir acomodando todo.

Altavoz: Última llamada para el vuelo 460 con destino a Paraguay. Favor de abordar por la puerta 4A.

Tía: ¿Qué dijo? ¿La 4A?

Briana: Sí. Apúrate, tía. Los otros ya abordaron.

Tía: Vamos, vamos, ya van a cerrar la puerta.

lección uno
En el vuelo 640 con destino a Montevideo, Uruguay...
Tío, el avión se está moviendo. Ya nos vamos.
Señorita, señorita, hay una emergencia, por favor.
Dígame, señor.
Mi esposa y mi sobrina no abordaron el avión. Hay que regresar.
Lo siento, señor. No podemos regresar. No se preocupe. Pueden viajar en el vuelo del sábado.
¡El sábado! ¡Hoy es martes y no tienen ropa, no tienen dónde quedarse!
¡Qué divertido! Por fin... vacaciones sin las chicas.
Para Uds. es gracioso, pero yo estoy muy preocupado. Si se entera la mamá de Briana...
132

Y en otro avión...

lección **dos**

## CONOCEMOS PARAGUAY Y URUGUAY

Los tres amigos y los tíos pensaban ir a Uruguay, pero por una equivocación, Briana y la tía fueron a Paraguay y Kevin, Alex y el tío fueron solos a Uruguay. ¡Qué problema! Ahora, Briana tiene que aprender mucho sobre Paraguay para contárselo a Kevin y a Alex. Y los muchachos tienen que aprender todo acerca de Uruguay para contárselo a Briana. Aquí está alguna de la información más importante sobre los dos países:

| | PARAGUAY | URUGUAY |
|---|---|---|
| Independencia | *1816* | *1828* |
| Capital | *Asunción* | *Montevideo* |
| Población | *4,500,000* | *3,500,000* |
| Primeros habitantes | *Guaraníes* | *Charrúas* |
| Economía | *Agricultura* | *Ganado* |
| Ubicación | *Noreste de Argentina* | *Suroeste de Brasil* |
| Comida típica | *Sopa paraguaya* | *Parrillada* |
| Idioma(s) | *Español, Guaraní* | *Español* |
| Moneda | *Guaraní* | *Nuevo peso uruguayo* |
| Origen del nombre | *Lugar del Río Grande* | *Lugar de pájaros y mariscos* |
| Explorador | *Juan de Ayolas* | *Fernando de Magallanes* |
| Área | *407,000 km$^2$* | *176,000 km$^2$* |

BOLIVIA
BRASIL
PARAGUAY
Río Paraguay
Concepción
Asunción
Río Paraná
Encarnación
CHILE
Océano Pacífico
ARGENTINA
URUGUAY
Río Uruguay
Montevideo
Punta del Este
Río de la Plata
N
NO
NE
O
E
SO
SE
S

# lección *tres*

## ¿Qué vamos a hacer?

Briana y la tía en Asunción, Paraguay.

Briana: Ay tía, me hacen mucha falta Kevin y Alex. Hay tantas cosas que ver y hacer en Paraguay, y ellos no van a conocer nada.

Tía: Anímate, Briana. Mira estas transparencias que les compré.

Ñandutí

Calle Palma

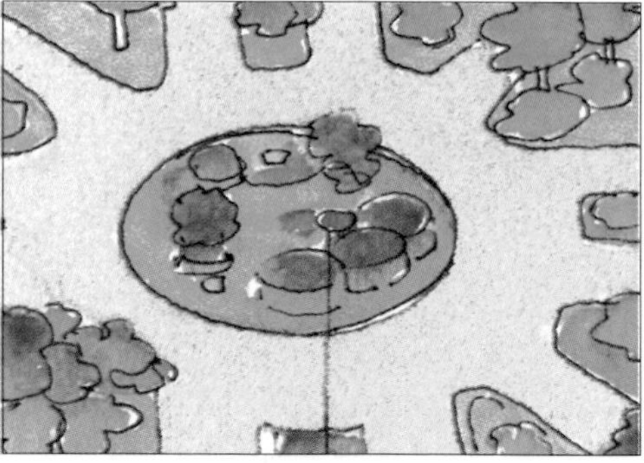

Plaza de los Héroes

Jardín Botánico

Palacio de Gobierno

Kevin, Alex y el tío están en Montevideo, Uruguay.

Kevin: No lo creo, pero me hace mucha falta Briana.

Alex: Yo la extraño mucho también. Las aventuras no son tan divertidas sin ella.

Tío: Miren este regalo que compré para Briana. Tiene todos los lugares importantes de Montevideo y Uruguay. ¿Creen que le va a gustar?

Kevin: Claro que sí, ¿y tú, Alex?

Alex: Le va a encantar.

"El Peón de Estancia"

El Prado

El Cabildo

Iglesia Matriz

Teatro Solís

lección
# cuatro

## Una aventura en Punta del Este

Alex, Kevin y el tío decidieron pasar un par de días en Punta del Este. Pasaron el día paseando y llegaron tarde al hotel. Ya eran las 11:00 de la noche. Cansados, los tres fueron a dormir. Por lo menos, eso pensó el tío.

Kevin y Alex tenían otros planes. Cuando el tío empezó a roncar profundamente, los dos atrevidos se levantaron de la cama y salieron del hotel sin hacer ruido.

Kevin: Qué linda está la playa, ¿verdad?
Alex: Sí, está lindísima.
Kevin: ¿Qué crees que está haciendo Briana? Las aventuras no son iguales sin ella...
Alex: Tienes razón. Pero, ¿no te parece que está oscuro?
Kevin: Sí, ¡qué tranquilidad! No se oye ni una rata.
Alex: ¡No hables de ratas, hombre! Tú sabes que a mí no me gustan las ratas, y menos de noche.
Kevin: ¿Qué ratas, chico? No hay ratas en la playa.
Alex: Las ratas salen por la noche a buscar comida.
Kevin: ¿Qué comida? No hay comida en las playas. ¿Qué te pasa, tienes miedo?

Kevin y Alex continuaron caminando. Sólo se oía el ruido de las olas sobre la arena. *Oooooooosh-ca, oooooooosh-ca.* Después de un largo rato, los dos se sentaron en la arena.

Alex: Kevin, creo que oigo una rata.
Kevin: Te dije que no hay ratas en la playa.
Alex: Kevin, yo sé que tú piensas que estoy loco, pero te juro que oigo una rata.

Kevin también oyó algo esa vez, pero no le dijo nada a Alex.

Alex: Kevin, ¿qué es eso? Uno, dos, tres...cuatro...cinco...
Kevin: (*muy bajito*) Este...este... Parecen unos dedos grandes, ¿no? ¿Cuántos hay?
Alex: Cinco. Uno, dos, tres, cuatro, cinco. Mira, la parte de arriba parece una uña.
Kevin: Y la parte de abajo parece un dedo. Alex, ¿tú estás pensando lo que yo estoy pensando?
Alex: ¡Es la mano de un gigante grandísimo! Y mira allá— ¡vienen 4 ratas gigantes! ¡Nos van a matar y después a comer! Te dije que las ratas buscan comida por la noche. ¡Nunca me oyes!
Kevin: ¡No hables tanto y corre!

Los dos muchachos corrieron hasta el hotel. No se dieron cuenta de que las ratas grandísimas eran capibaras. Éste es un animal que es "primo" de la rata, y que vive cerca del agua. ¡El capibara puede pesar hasta 75 kilogramos! Y la mano saliendo de la arena, pues, es una estatua famosísima en Uruguay.

Cuando llegaron los muchachos al hotel, encontraron al tío en la puerta, en pijama. Los dos llegaron tan cansados de correr no pudieron decir nada.

El tío les habló con una voz fuerte y lenta...

Tío: Sólo quiero saber... dónde estaban y qué estaban haciendo.

# lección cinco

## Una llamada de teléfono

Operadora: Buenos días. ¿Qué ciudad, por favor?
Briana: Punta del Este, Uruguay.
Operadora: ¿Qué número?
Briana: 2-85-43-42.
Operadora: ¿Con quién quiere hablar?
Briana: Con Alex Jones o Kevin Merrill.
Operadora: ¿De parte?
Briana: De parte de Briana Peterson.
Operadora: Un momento, por favor.

*¡Rrrrrrrrrin - Rrrrrrin - Rrrrrrrrin!*

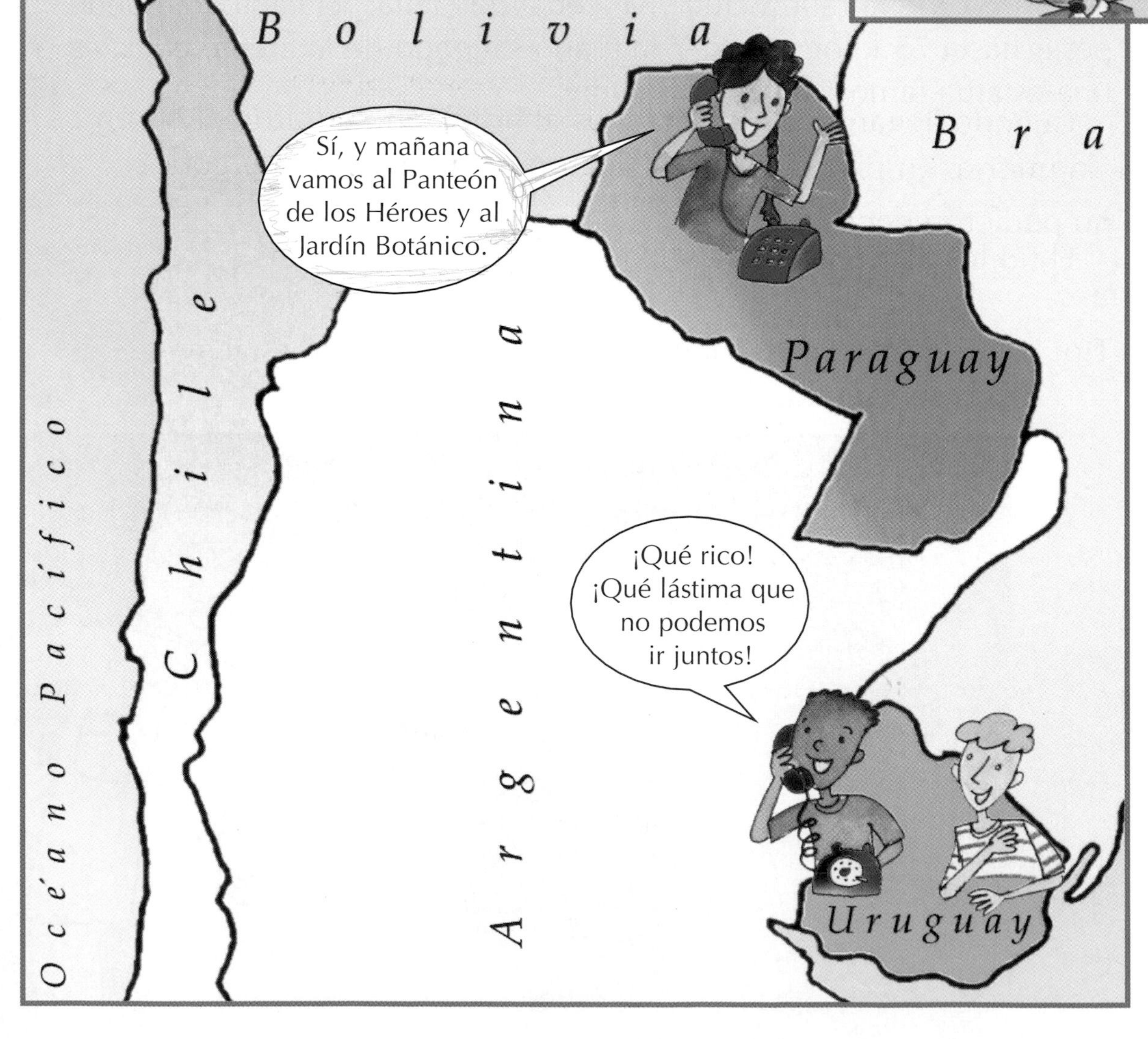

| | |
|---|---|
| Kevin: | ¿Aló? |
| Operadora: | Tengo una llamada de la señorita Briana Peterson para el Sr. Jones o el Sr. Merrill. |
| Kevin: | Habla el Sr. Merrill. |
| Briana: | ¡Kevin, hola! ¿Cómo estás? ¿Y Alex y el tío, cómo están? |
| Kevin: | Bien, bien y bien. ¿Cómo están ustedes? |
| Briana: | Los extrañamos mucho. ¿Qué están haciendo? |
| Kevin: | Nosotros también las extrañamos mucho. Bueno, fuimos a muchos lugares en Montevideo: al Palacio Legislativo, al Teatro Solís, a la Plaza de la Independencia... y en Punta del Este fuimos a la playa y vimos unos capibaras que parecen unas ratas grandísimas. Quería comprar un capibara, pero el tío me dijo que no. También vimos una estatua que parece una mano gigantesca saliendo de la arena. |
| Briana: | ¡Qué interesante! Quiero conocer Uruguay y ver los capibaras, pero parece que nos vamos a encontrar en Argentina. |
| Kevin: | Bueno, Briana, ahora te pongo a Alex que te quiere saludar. |
| Alex: | Briana, ¿cómo estás? ¿Qué tal Paraguay? |
| Briana: | Bueno, fuimos a la Casa de la Independencia, al Palacio de Gobierno y vimos a unas señoras que hacen ñandutí. Compré unos regalos muy lindos. |
| Alex: | Divertidísimo, Briana. |
| Briana: | Sí, y mañana vamos al Panteón de los Héroes y al Jardín Botánico. |
| Alex: | ¡Qué rico! ¡Qué lástima que no podemos ir juntos! Bueno dime, ¿y la tía cómo está? |
| Operadora: | Lo siento, pero su tiempo se acabó. |
| Alex: | Chau, Briana. Cuídense. |
| Briana: | Igual. Los queremos mucho. |
| Operadora: | Gracias por usar Parabel. *Clik.* |

## Aprendemos algo nuevo

Kevin: ¡No cantes más, Alex! Ya no lo aguanto. Fui, fuiste, fue, fuimos, fueron. Pareces una maestra de español.

Alex: Es una canción de los gauchos. Ellos fueron muy románticos en su época, ¿sabes?

Kevin: Tú no eres, ni fuiste, romántico. Además, no sabes cantar.

Alex: *Ahora soy infeliz...*

Kevin: Tú eres infeliz, pero yo soy más infeliz todavía con esa música horrible.

Alex: *Ya no eres mi amor...*

Kevin: Y tú no eres mi amigo si sigues cantando.
Alex: *La vida es como es...*
Kevin: ¡La vida es insoportable!
Alex: *Somos casi unos extraños...*
Kevin: Ojalá...
Alex: *Los días son largos...*
Kevin: Muuuy largos.
Alex: Ganaste. Me callo. Además, se acabó el agua caliente.

# lección *siete*

## En una exposición de arte

Hoy, Briana y la tía van a un evento muy especial. Hay una exposición de arte sudamericano en el Museo Paraguayo de Arte Contemporáneo. Están emocionadas porque la exposición va a estar en Paraguay sólo unos días antes de ir a otro país. No pueden irse de Paraguay sin verla.

| | |
|---|---|
| Briana: | Tía, vamos primero por el Salón Los Andes; quiero ver las pinturas de Camilo Egas. Es uno de los pintores más famosos de Ecuador. |
| Tía: | Briana, mira la escultura de Marisol Escobar. Ella es venezolana, pero vive en Nueva York. Y allí está una pintura de Fernando Botero. Sus pinturas están por el mundo entero. |

**EL MUSEO PARAGUAYO DE ARTE CONTEMPORÁNEO**

*presenta*

## La Paleta Sudamericana
## Exposición de Arte

**Salón Los Andes**

José Sabogal - *Perú*
Cecilio Guzmán de Rojas - *Bolivia*
Camilo Egas - *Ecuador*
Fernando Botero - *Colombia*
Marisol Escobar - *Venezuela*

**Salón Patagonia**

Gonzalo Fonseca - *Uruguay*
Jaime Bestard - *Paraguay*
Antonio Berní - *Argentina*
Marta Colvin - *Chile*

**Museo Paraguayo de Arte Contemporáneo**
*Calle Uno y Emeterio Miranda y Molas López*
*Asunción, Paraguay*

Briana: Mira, tía, Cecilio Guzmán de Rojas, de Bolivia. Sus pinturas parecen antiguas, y mira aquélla de José Sabogal. Su arte representa algo muy original de Perú.

Tía: ¡Qué fascinante el Salón Patagonia! Mira la diferencia entre el estilo norteño y sureño. Fíjate, Briana, aquí está el arte del uruguayo Gonzalo Fonseca. Hizo éste con cemento. ¡Qué raro!

Briana: Y el argentino Antonio Berní tiene un estilo bonito. ¿No crees?

Tía: Mi pintura favorita es este paisaje paraguayo de Jaime Bestard. ¡Cómo hace vivir la pintura!

Briana: Sin duda, tía, lo mejor de la exposición es esta escultura de Marta Colvin. Sus esculturas tienen la forma de los indios de Chile, Perú y Bolivia de hace más de mil años.

Tía: Tienes razón, Briana. Sin embargo, a mí me encanta todo. La exposición es todo un éxito.

## Vamos a escribir

| | |
|---|---|
| Kevin: | ¡Tío! ¿Qué te pasó? |
| Tío: | Me di un golpe en la mano con la puerta. |
| Alex: | ¿Te duele mucho? |
| Tío: | Bastante, y lo malo es que no puedo escribir. Necesito mandar una carta formal a Buenos Aires, Argentina. |
| Kevin: | Nosotros sabemos escribir una carta informal. ¿Una carta formal no es lo mismo? |
| Tío: | Son similares, pero no son iguales. |
| Alex: | Bueno, si tú nos guías, nosotros podemos ayudarte, tío. |
| Tío: | Buena idea. Vamos a ver. Aquí tengo mi computadora portátil. Escriban un borrador. Hay que empezar con la fecha, el nombre y la dirección a donde va la carta. Después va el saludo, el contenido, la despedida y la firma. |
| Kevin: | De acuerdo. Entonces, ¿cuál es la fecha de hoy? ... |

Juntos el tío, Kevin y Alex escribieron la carta. El tío dio unas ideas, Kevin escribió el borrador y Alex revisó y editó la carta. Después mandaron la carta por telefax.

Así quedó la carta terminada.

3 de agosto
Hotel Mirador
Montevideo, Uruguay

Cámara de Comercio
Avenida 20 No. 32-74
Buenos Aires, Argentina

Estimados Señores:

El motivo de esta carta, después de presentarles mis saludos, es pedir información. Necesito saber las reglas de importación y exportación que rigen en su país, Argentina.

Si es conveniente, mándelas por telefax (2-85-93-45) lo más pronto posible. Espero su respuesta.

Le doy las gracias por anticipado,

Atentamente,

Javier Montealegre de Villa

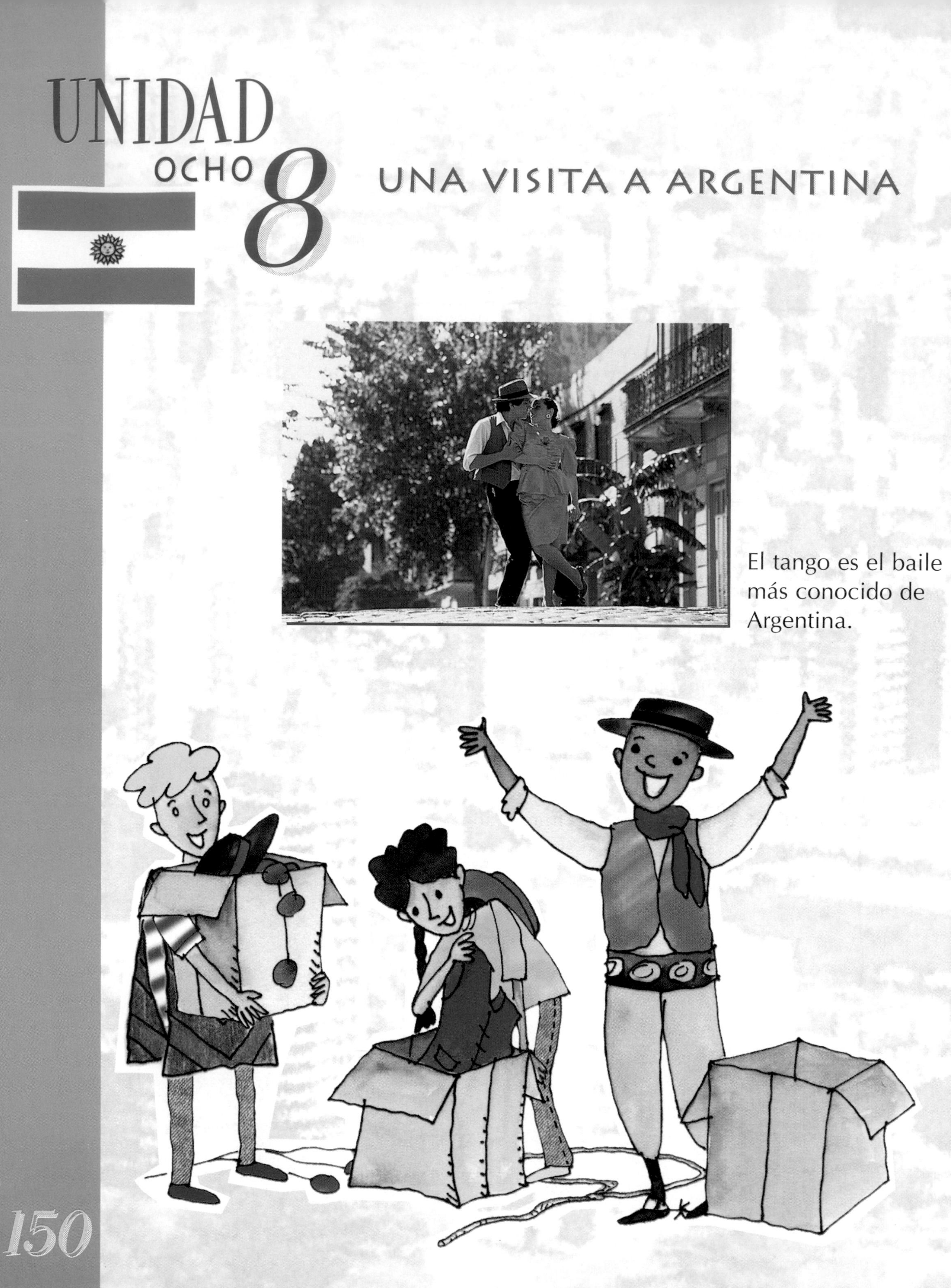

# UNIDAD OCHO 8

## UNA VISITA A ARGENTINA

El tango es el baile más conocido de Argentina.

El gaucho es un personaje típico de las pampas argentinas.

Visitando La Boca, un barrio pintoresco de la ciudad de Buenos Aires.

## Llegando a Argentina

Después de un viaje largo por el Río Paraná, Briana y su tía llegaron a Buenos Aires por barco. Ellas bajaron del barco y pasaron por inmigración, donde les sellaron los pasaportes. Por fin estaban en Argentina, el último país de su gira por Sudamérica. Las dos salieron a esperar la llegada de los "hombres"; ellos llegaban en barco de Montevideo una hora más tarde.

Por fin llegaron. Kevin y Alex fueron los primeros en bajar. Corrieron hacia Briana y la tía a darles besos y abrazos. Al rato salió el tío, cargando todas las maletas y los regalos.

| | |
|---|---|
| Tío: | ¡Hola! ¡Cómo las extrañamos! Traje esto para mi sobrina favorita y esto para mi querida esposa. Y éstas son para los muchachos. *(Dándoles las maletas)* |
| Kevin: | Mil gracias, tío. |
| Briana: | ¿Qué es? ¿Puedo abrirlo ahora? |
| Tía: | Pues claro. |
| Kevin: | Pero primero tienes que adivinar lo que es. |
| Briana: | Está bien. ¿De qué color es? |
| Alex: | Este... tiene muchos colores. |
| Briana: | ¿Cuánto costó? |
| Kevin: | Eso no se puede decir. |
| Briana: | ¿De dónde es? |
| Alex: | De Uruguay, por supuesto. |
| Briana: | ¿Y quién lo escogió? |
| Kevin: | Los tres. |

Briana: ¿Cómo es?
Alex: Redondo y chiquito.
Briana: ¿En qué lo empaquetaron?
Kevin: En un sobre.
Briana: Pues no puede ser muy grande entonces... No sé. ¿Qué es?
Tío: Ábrelo, niña. Si no, vamos a estar en el puerto todo el día.
Briana: (*Abriendo el regalo*) ¡No lo puedo creer!
Kevin: ¿No te gusta?
Briana: ¡Claro que sí! Es que nosotras compramos lo mismo para ustedes, pero de Paraguay, por supuesto.
Tía: Bueno. ¿Todos contentos? Una gran ciudad nos espera.
Kevin: Sí, ¡a La Costanera a comer!
Alex: ¡A La Boca a pasear!
Briana: ¡Y a Corrientes a comprar!
Tía: ¡A ver los shows en Lavalle!
Tío: ¡No, no, no y no! Primero a la agencia de alquilar automóviles. Después, a dónde vamos, es un secreto.

## Conocemos Argentina

Tío: ¿Qué están haciendo, muchachos?
Briana: Nada, tío. Sólo estamos buscando información sobre Argentina en la base de datos de tu computadora.
Tío: ¿Qué tipo de información están buscando?
Kevin: Información básica. Tú sabes: geografía, economía, historia, cultura.
Alex: Mira, tío. Por ejemplo: entro "geografía" en la computadora, y me sale:

| | |
|---|---|
| **PAÍS** | ARGENTINA |
| **Tópico** | Geografía |
| **Sub-tópico** | Cuatro regiones principales:<br>• Las Pampas - tierra fértil, plana, parte central<br>• Patagonia - meseta, seca, en el sur del país<br>• Los Andes - montañas, en la frontera con Chile, minerales<br>• Gran Chaco - llano, entre Paraguay y Uruguay |
| **Comentario:** | El nombre de Argentina viene del latín *argentum* o **plata.** |

Briana: ¿Vamos a ver que lo que dice sobre la economía?
Kevin: Bueno, entra "economía" en la computadora.

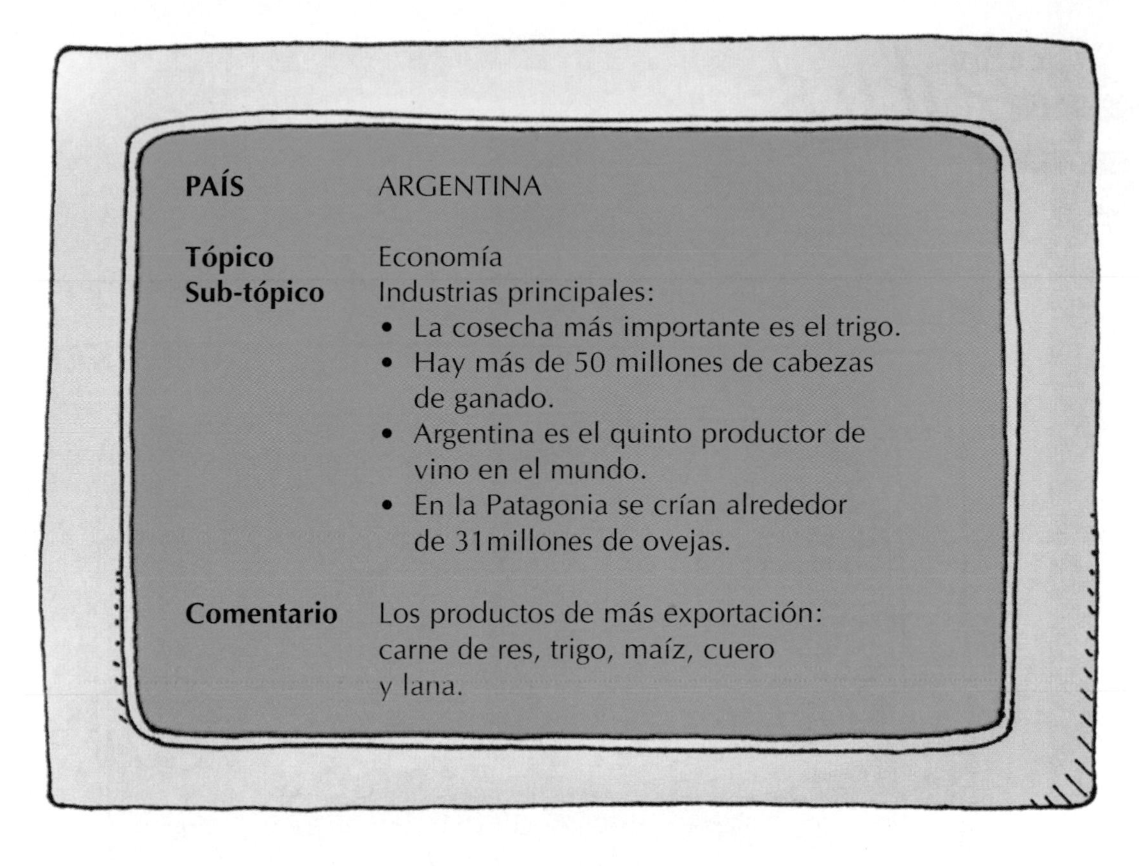


Kevin: Yo quiero aprender algo sobre la historia. Déjame entrar la palabra "historia" a ver lo que dice.

**PAÍS** ARGENTINA

**Tópico** Historia

**Sub-tópico** Período colonial

- Los españoles entraron al país por los Andes, en el oeste, y por el río de la Plata, en el este.
- 25 de mayo de 1810 - independencia de España
- José de San Martín - libertador de Argentina

**Comentario** Fernando de Magallanes, un explorador portugués, navegó por las aguas entre las islas de Tierra del Fuego.

Alex: ¡Qué maravilla! ¿Qué lugares turísticos tiene?

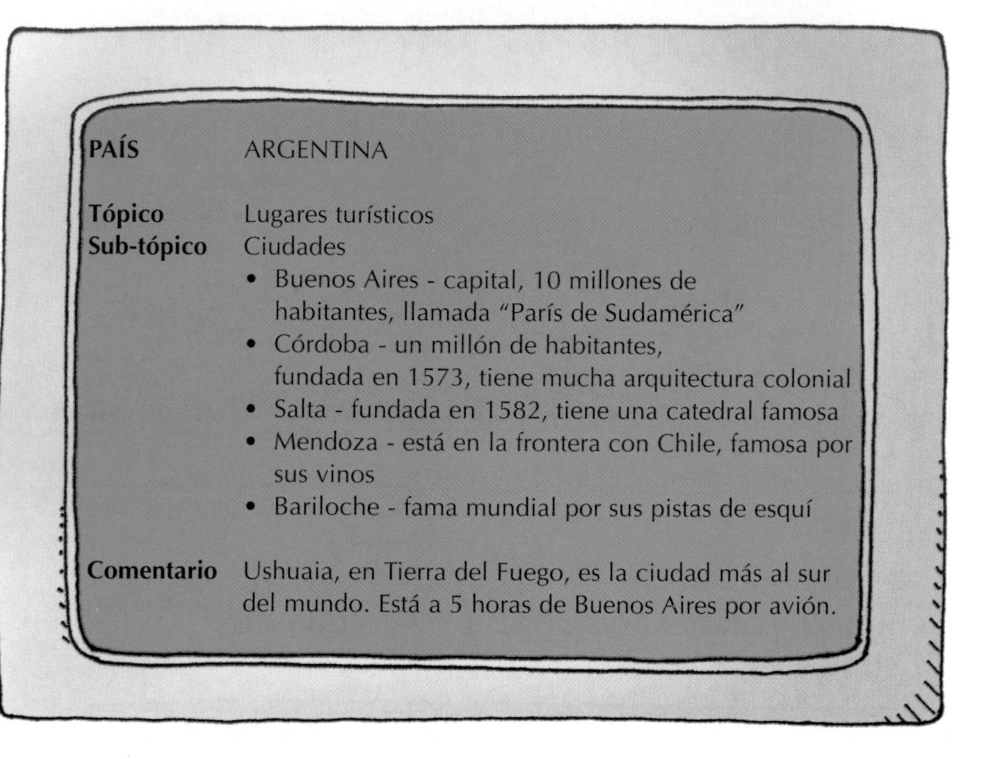


Tía: Busca algo sobre la cultura. ¡Quiero aprender a bailar el tango!

PAÍS ARGENTINA

**Tópico** Cultura
**Sub-tópico** Bellas artes
- Jorge Luis Borges - poeta y novelista famoso, siglo XX
- Tango - baile famoso internacionalmente; se originó en La Boca, Buenos Aires
- Teatro Colón - tiene fama mundial por sus óperas

**Comentario** Buenos Aires tiene más de 250 cines y 70 teatros.

Busca algo sobre la cultura. ¡Quiero aprender a bailar el tango!
Bueno, creo que está bueno por hoy. Mañana buscamos más información en la computadora.
¿Vamos a ver lo que dice sobre la economía?
¡Qué maravilla! ¿Qué lugares turísticos tiene?
Déjame entrar la palabra "historia" a ver lo que dice.

## UNA VISITA A UNA ESTANCIA

Los tres amigos fueron a pasar una semana a una estancia. En Argentina, una estancia es un rancho grande donde crían caballos y ganado. Después de tres horas de viaje, los tres amigos llegaron a la estancia "La Pamplona", donde los esperaba don Alfredo. Él vive en la estancia durante todo el año y tiene una lista de actividades para "los turistas norteamericanos".

Cuando llegaron los muchachos, don Alfredo les dio un caballo a cada uno. ¡Menos mal que en Chile los tres amigos aprendieron a montar a caballo con los huasos! Don Alfredo los enseñó a cuidar los caballos —a cepillarlos, limpiarles las pezuñas y hacerles trenzas en la cola.

Los tres muchachos querían aprender todo sobre los gauchos y siempre estaban listos para una aventura. Todos los días fueron a las pampas a caballo —cruzaron ríos y pantanos, nadaron, montaron a caballo, se ensuciaron, pero más que nada, se divirtieron.

Para ser buenos gauchos, los tres tuvieron que hacer de todo. Unas veces tuvieron que rodear al ganado para moverlo de un potrero a otro. ¡Otra vez rodearon al ganado para marcarlo con hierro! ¡Ay, ay, ay! ¡Qué caliente! Hasta aprendieron a usar el lazo y las boleadoras para agarrar el ganado. ¡Una vez, don Alfredo atrapó un ñandú!

Al mediodía, al terminar el trabajo, todos almorzaban juntos. Una comida favorita de los muchachos fue la "carbonada", una sopa de maíz, papas y carne. Después de comer tomaban una siesta para pasar las horas más calurosas.

Por las noches, don Alfredo contaba cuentos y tomaba un té llamado mate. Los tres amigos probaron el té pero no les gustó.

Al final de la semana, ya los tres muchachos tenían que irse. Con las caras tristes, fueron a despedirse de don Alfredo. De repente, él sacó una caja para cada uno. Dentro de la caja, había un traje de gaucho, completo con bombachas, una rastra, boleadoras y un sombrero. Aunque tristes, se fueron contentos con los regalos.

lección

# cuatro

## UNA AVENTURA EN LAS PAMPAS

Un día, los tres muchachos montaron sus caballos y se fueron a pasear por las pampas. Eran las siete de la mañana y pensaban regresar al mediodía para almorzar. Con sus lazos, boleadoras y bombachas, los tres "gauchitos" salieron en busca de una nueva aventura.

Al rato, perdieron de vista la estancia y los tres gauchitos estaban en el medio de las pampas. Algunas veces tuvieron que bajarse de los caballos para cruzar los ríos. En otras ocasiones, pararon a los caballos para respirar el aire libre y admirar la vista inmensa de las pampas.

De repente, los tres oyeron un trueno muy alto —¡KABLUNK! Y los tres caballos empezaron a correr. ¡El único problema fue que los tres caballos corrieron en direcciones diferentes!

Pero ni Briana ni Medianoche oyeron. Cristal, el caballo de Kevin, y Loquito, el caballo de Alex, pararon al oír la palabra "azúcar".

# lección cuatro

Los dos muchachos, cansados y preocupados, buscaron a Briana el resto de la mañana y toda la tarde. Corrieron de norte a sur, de este a oeste. Pronto el sol bajó y dejó a los muchachos en la oscuridad.

Cerca del fuego vieron muchos caballos. Cuando se acercaron más, se dieron cuenta de que era un grupo de gauchos tomando mate en el medio de las pampas. Los gauchos estaban sentados en un círculo alrededor del fuego.

¿Qué dicen? Briana llegó aquí al mediodía. ¿No se dan cuenta? Están en La Pamplona, en la estancia. Nosotros estábamos buscándolos a ustedes.

No lo puedo creer.

Yo tampoco.

# lección cinco

## De paseo por Buenos Aires

### Regateando en La Boca

Alex: Che. La Boca. Estamos en La Boca.
Briana: ¡Tantos colores! Rojo, azul, amarillo, rosado, verde...
Kevin: Sí, cada casa está pintada de un color diferente.
Briana: Mira. Un artista está haciendo caricaturas.
Alex: Vamos a preguntarle cuánto cuestan.
Briana: Perdóneme. ¿Cuánto cuesta una caricatura?
Artista: ¿Son ustedes turistas o porteños?
Kevin: Turistas, ¿por qué?
Artista: Pues son ochenta bolívares, noventa nuevos soles, cincuenta y cinco pesos uruguayos, setenta y ocho pesos chilenos, o cuarenta y seis pesos colombianos.
Briana: Pero ya cambiamos los dólares por australes.
Artista: ¿Por qué no me lo dijeron? Son treinta australes.
Kevin: Por las tres caricaturas, le damos setenta.
Artista: Está bien. ¡Aunque con estos precios me muero de hambre!

Un pequeño problema en La Costanera

Kevin: ¡Qué hambre tengo!

Briana: Perfecto. Estamos en La Costanera. Los mejores restaurantes de B.A.

Alex: ¿B.A.?

Briana: Sí, Buenos Aires. La gente de moda dice B.A.

Kevin: Mira aquél. Vamos a comer allí. ¿Podemos sentarnos en el balcón?

Alex: Huelan las parrilladas. ¡Qué rico! ¿Qué van a pedir?

Kevin: Yo quiero una parrillada. Carne de res, chorizos, puerco...

Alex: ¡Y yo un churrasco grande!

Briana: ¡Qué cantidad de comida! Si comemos toda esa comida, no vamos a poder caminar.

Kevin: Yo sí.

Alex: Yo también.

Camarero: La cuenta.

Briana: Gracias. ¡Noventa y cinco australes! Yo sólo tengo treinta. ¿Cuánto tienes tú?

Alex: Nada más que veinte.

Briana: Faltan cincuenta si dejamos una pequeña propina.

Kevin: ¡Ah! Se me olvidaba. Tengo sesenta australes en el zapato.

Alex: ¿En el zapato?

Kevin: ¿Quieres pagar la cuenta o quieres lavar platos?

Briana: Bueno, saca el dinero, pero ¡qué vergüenza!

APRENDEMOS ALGO NUEVO

Los tres amigos saben mucho de Buenos Aires...

Y saben mucho de Argentina también...

El baile *que es muy famoso* es el tango.
El escritor *que es muy conocido* es Jorge Luis Borges.
El gaucho *que nos ayudó* fue don Alfredo.
Buenos Aires, *que tiene 10 millones de habitantes,* es la capital de Argentina.
Mendoza, *que está cerca de Chile,* es famosa por sus vinos.
El río de la Plata, *que está entre Argentina y Uruguay,* es muy largo.
La gente *que vive en Buenos Aires* se llama porteños.
Los gauchos *que viven en las Pampas* son muy trabajadores.

## Una lección de tango

¡Qué tragedia! De todas las aventuras, de todas las travesuras, de todo lo que les puede pasar a los tres amigos—lo peor: ¡los tres amigos están invitados a una fiesta este sábado y no saben bailar el tango! Tres pibes (amiguitos, en Argentina) invitaron a Briana, Kevin y Alex. Así que tienen que aprender a bailar el tango. ¿Por qué es tan importante aprender a bailar el tango? Aparte de ser una parte importante de la cultura argentina, aparte de ser una experiencia inolvidable, parece que los tres amigos están enamorados. in love!?

—No hay problema —dijo Kevin. Compré esta guía para bailar el tango.

### GUÍA DEL TANGO

El tango, que tuvo su origen en La Boca, B.A., es el baile más conocido de Argentina. El tango es fácil de aprender y muy divertido. Primero, tienes que aprender el ritmo: lento, lento, rápido, rápido, rápido. ¡Eso es todo! Un paso lento es igual a dos pasos rápidos.

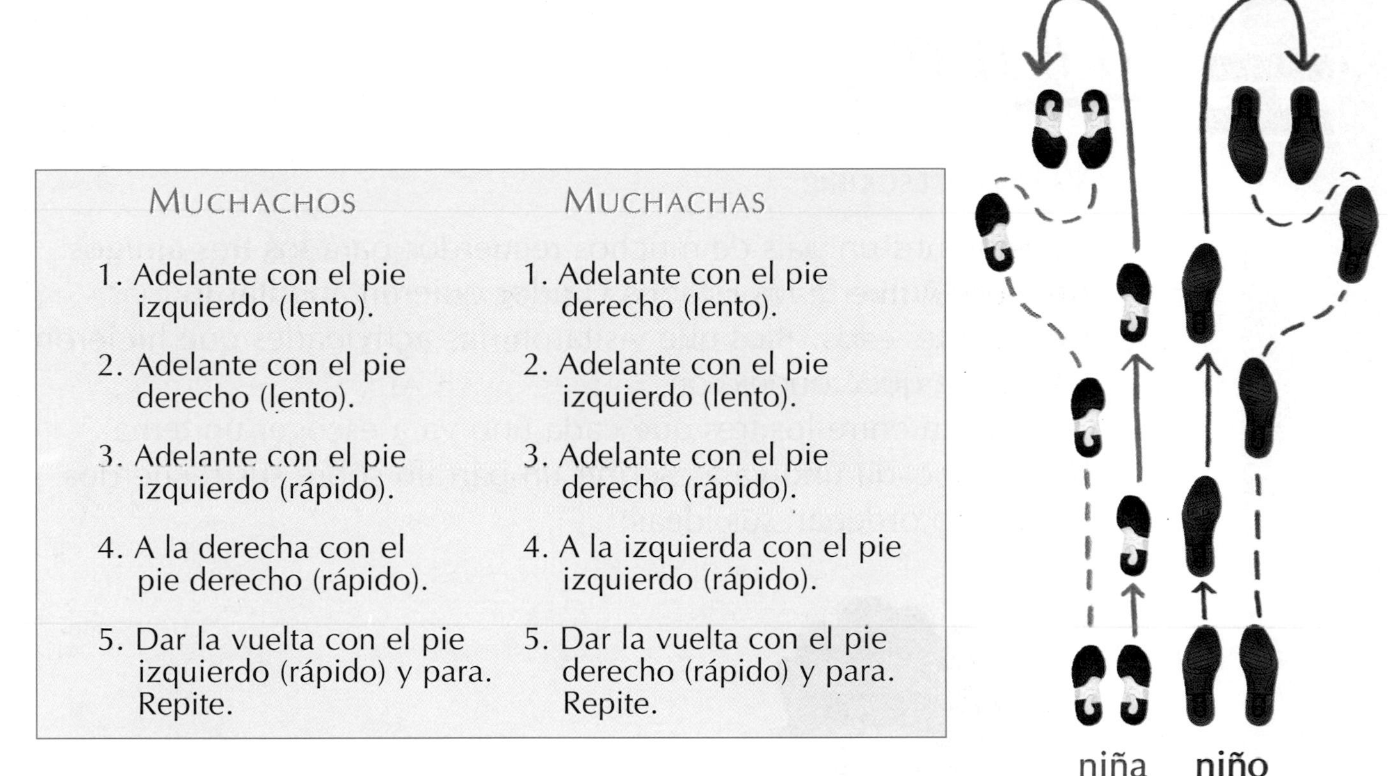

| Muchachos | Muchachas |
|---|---|
| 1. Adelante con el pie izquierdo (lento). | 1. Adelante con el pie derecho (lento). |
| 2. Adelante con el pie derecho (lento). | 2. Adelante con el pie izquierdo (lento). |
| 3. Adelante con el pie izquierdo (rápido). | 3. Adelante con el pie derecho (rápido). |
| 4. A la derecha con el pie derecho (rápido). | 4. A la izquierda con el pie izquierdo (rápido). |
| 5. Dar la vuelta con el pie izquierdo (rápido) y para. Repite. | 5. Dar la vuelta con el pie derecho (rápido) y para. Repite. |



Los tres muchachos practicaron por horas y horas y horas. Por fin, llegó el sábado, el día de la fiesta. Los tres amigos, bien vestidos, fueron a la fiesta. Cuando la música empezó, Diego invitó a Briana a bailar. Alex y Kevin estaban muy nerviosos. En Argentina, es costumbre que el muchacho invite a la muchacha. Kevin invitó a Mariana y Alex invitó a Pilar. Cuando empezaron a bailar, todos estaban impresionados con los tres norteamericanos.

—¿Dónde aprendieron a bailar? —comentó mucha gente. Pero ellos guardaron el secreto.

Cuando la fiesta terminó, los tres amigos se despidieron de sus nuevos amores, o mejor dicho, sus nuevas amistades.

—Dejo mi corazón en Buenos Aires —dijo Briana.

—Yo también —dijo Kevin.

—Y yo —dijo Alex.

Y se fueron a casa bailando el tango.

VAMOS A ESCRIBIR

Argentina es un país de muchos recuerdos para los tres amigos. Antes de volver a los Estados Unidos quieren apuntar lo más importante —los sitios que visitaron, las actividades que hicieron y la gente que conocieron.

Deciden entre los tres que cada uno va a escoger un tema. Después, cada uno va a escribir un párrafo sobre sus recuerdos.

Primero ordenan sus ideas:

Después los tres amigos escriben un borrador, y luego leen sus párrafos en voz alta y preguntan: ¿Están todas las ideas? ¿Puedo mejorar este párrafo?

Después editan su trabajo. Primero buscan los errores de ortografía. Luego añaden algunos puntos y comas. Por fin escriben su trabajo de nuevo, sin errores.

¡Qué bueno! ¡No se olvidarán de Argentina nunca!

# UNIDAD NUEVE 9

## DE REGRESO EN LOS ESTADOS UNIDOS

¡Tenemos que volver!
¡Gaucho para siempre!
Argentina

lección

# uno

## De regreso en los Estados Unidos

| | |
|---|---|
| Oficial: | Los pasaportes, por favor. |
| Tío: | Aquí los tiene, señorita. |
| Oficial: | ¿Ustedes son norteamericanos? ¡Qué bien hablan español! |
| Briana: | Gracias. Es que estuvimos mucho tiempo en Sudamérica. Visitamos muchos países. |
| Oficial: | ¡Ah! Por eso hablan tan bien el español. ¿A dónde fueron? |
| Kevin: | Fuimos a Venezuela, Colombia, Ecuador, Bolivia, Perú, Chile, Uruguay y Argentina. Las muchachas se fueron solas a Paraguay, y... |
| Tía: | Kevin, estoy seguro que la señorita no tiene tiempo para tantos cuentos. |
| Oficial: | ¿Y a dónde van ahora? |
| Kevin: | Nosotros vivimos aquí en Miami, pero ahora yo voy para Los Ángeles y Alex se va a Nueva York. Vamos a visitar a nuestros abuelos. |
| Alex: | Briana se queda aquí en Miami, porque sus abuelos también viven aquí. |

Tío: ¿Qué pasa, Briana? ¿Por qué lloras?

Briana: Es que ahora me doy cuenta que no vamos a estar juntos. Ustedes se van y yo me quedo.

Tía: Tranquila, mi niña. Dentro de poco los vas a ver de nuevo.

Tío: Sí, Briana. Y aparte, seguro que tus padres y tus abuelos te están esperando. Llevan mucho tiempo sin verte.

Kevin: ¡Mira, Briana! Allí están tus padres, tus abuelos y nuestros padres. ¡Qué contentos están!

Entre besos y abrazos, los tres amigos se despidieron. Después de saludar a sus padres, Alex se fue para Los Ángeles y Kevin para Nueva York. Briana se fue para su casa con sus padres y abuelos. El viaje a Sudamérica terminó.

lección *dos*

RECORDANDO A SUDAMÉRICA

Briana: Hola.
Alex: ¿Cómo están?
Kevin: Bien, ¿y ustedes?
Briana: Bien, gracias.
Alex: Yo también.
Kevin: ¿Qué tal Miami y Nueva York?
Briana: Chévere. Estoy practicando el español con todos los nicaragüenses y cubanos. También hay muchos colombianos y gente de otros países.
Alex: No hay nada como la Gran Manzana. Practico el español todos los días. Nuestros vecinos son de Puerto Rico y de la República Dominicana.
Kevin: Y en Los Ángeles hay muchos mexicanos con quienes puedo practicar. Y me encanta la comida mexicana. Pero Los Ángeles también está lleno de salvadoreños, guatemaltecos, hondureños y gente de Sudamérica.
Briana: ¡Qué bueno! Al principio pensé que iba a olvidar el español.
Alex: ¡Qué va! Si en los Estados Unidos hay muchos latinos. Podemos hablar español todos los días.
Kevin: Es verdad. Y nunca voy a olvidar nuestro viaje a Sudamérica.
Briana: Las ciudades... La música... Las pampas...
Alex: Los animales... Los lugares turísticos... Los ríos...
Kevin: La gente... Las montañas... Los trenes, barcos, ferrobuses y las chivas...
Briana: Y Julio. ¿Recuerdan?
Alex: Sí. E Intita.
Kevin: Como no. Y Diego, ¿recuerdas Briana?
Briana: Sí, me acuerdo. ¿Y cómo están Mariana y Pilar?
Alex: Ay... las noches en Buenos Aires...
Kevin: Alex, ¿recuerdas la noche en Punta del Este?

Briana: ¿...y las islas de Pascua?
Alex: ¿...y Cartagena?
Kevin: ¿...y Santiago?
Briana: ¿Santiago?
Alex: ¿Qué pasó en Santiago?
Kevin: ¿No les dije? Pues...
Ay... estos niños. Son inseparables.
¿Y no recuerdan quién va a pagar la cuenta de teléfono?
En fin...

VAMOS A ESCRIBIR

Los tres amigos quieren hacer algo muy especial para darles las gracias a los tíos por llevarlos a Sudamérica. Fue un viaje inolvidable.

Kevin, Alex y Briana van a hacer tarjetas de agradecimiento.

1. Primero, cada uno escoge un papel en su color favorito y lo dobla por la mitad. En la parte de afuera, escriben en letras grandes "muchas gracias".

2. Segundo, en un papel blanco, también doblado por la mitad, dibujan un círculo, y dentro del círculo, un mapa de las Américas —desde Canadá hasta Argentina. Luego, colorean el mapa.

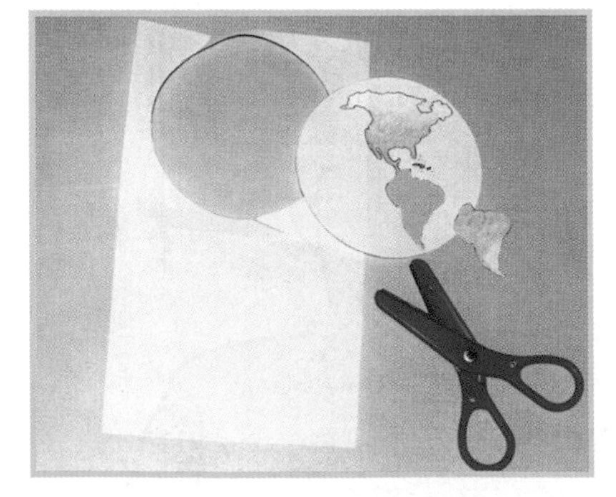

3. Después, con cuidado, los tres amigos recortan del mapa nada más lo que es Sudamérica.

4. Ahora, pegan el mapa (sin Sudamérica) a la parte de arriba de la tarjeta.

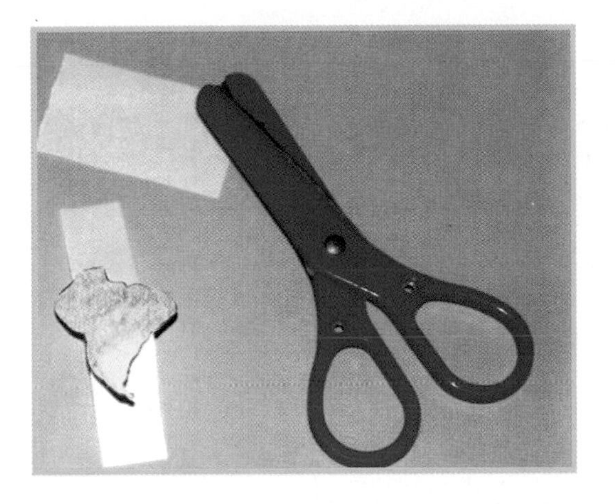

5. Después, los tres amigos recortan un papel en forma de rectángulo de 5″ por 1″. Lo pegan por detrás del mapa de Sudamérica, de norte a sur. Debe sobrar un pedazo arriba y otro abajo.

6. Ahora, los tres amigos doblan el papelito en forma de "L" y lo pegan en el espacio en blanco en el mapa. El mapa de Sudamérica debe sobresalir del mapa grande.

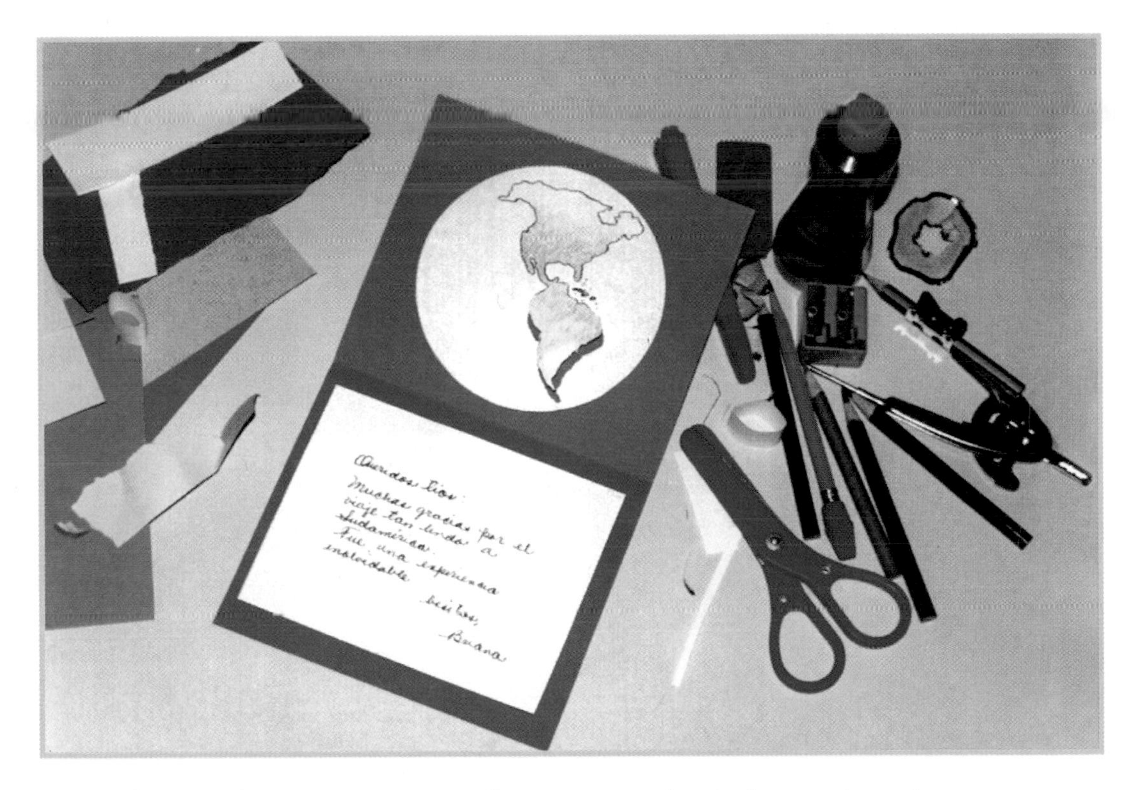

7. Finalmente, los tres amigos escriben su carta dando las gracias y la pegan en la parte de abajo de sus tarjetas.
—¡Qué buena idea! —dijeron todos. ¡Vamos a mandarlas por correo!